KU-038-245

Carlo Natali

LA CUCINA TRADIZIONALE

i sapori di Abruzzo e Molise

Prefazione di Remo Brindisi

© RL Gruppo Editoriale s.r.l.
47822 Santarcangelo di R. (RN)

Progetto di copertina: Barbara Bachini
Impaginazione: Art Servizi Editoriali, Bologna

Finito di stampare nel mese di Luglio 2010
presso Puntoweb - Ariccia (Roma)

Tutti i diritti sono riservati.

LA CUCINA TRADIZIONALE

i sapori di Abruzzo e Molise

Introduzione

La posizione geografica dell'Abruzzo, che potrebbe sembrare strategica nel contesto delle regioni e che, sotto certi aspetti, potrebbe essere vantaggiosa, trovandosi a cavallo tra il nord e il centro-sud d'Italia, non risponde a una realtà positiva quando ci si rifà alla storia.

Se pensiamo che questa regione, posta un tempo a frontiera tra lo stato Pontificio e lo stato Borbonico, cioè essa stessa mai operante come entità di stato, è stata zona di rapine, zona di attraversamento di eserciti, di mercanti e di avventurieri, capiremo come essa sia stata zona di oppressione psicologica e ideologica. Nell'ultimo '800 fino ai primi del '900 gli uomini più rappresentativi di essa e della sua cultura vennero incorporati dalla scuola napoletana o dalla scuola romana: Benedetto Croce, F.P. Michetti, Teofilo Patini, i Palizzi, Mario dei Fiori, Barbetta, F.P. Tosti, per non dire di quelli che sono venuti dopo. Gli stessi nuclei pastorali, da secoli, ancora emigrano nei mesi invernali verso le terre calde delle Puglie e i prodotti della pastorizia ancora oggi trovano facile commercio e industrializzazione nelle regioni limitrofe, negando all'Abruzzo ogni possibilità di progresso economico.

La transumanza delle greggi si è riportata anche nella mentalità degli uomini e questo da antica consuetudine, tanto è vero che nel due-trecento i maestri della scultura lignea di Campli furono facilmente confusi con la scuola senese. Chi ha voluto fare giustizia a tutto questo impoverimento etnico e culturale? E pensare che l'Abruzzo, trovandosi al centro geografico del nostro Paese, posto in senso verticale con la catena dell'Appennino del gran Sasso e della Patella, quasi ad argine dell'Adriatico, tanto che le sue città storiche hanno il pregio di vedersi collegate a quasi uguale distanza (di alcune decine di chilometri) dal mare e dall'alta montagna, determina un panorama di tradizioni e di costumi (cioè quelle variazioni di originalità e di aspetti inediti) che altrove è difficile trovare. Un percorso turistico di alto livello attraverso colline, storia e dialettiche umane, rappresentazioni rupestri, chiarori di luci naturali dal cielo sui colori cristallini dei ruscelli, delle rocce, delle piante e dei monumenti, dei quali tutto il retroterra è ricco, un denso patrimonio di ardori repressi, di vulnerabili umori e di esplodenti lirismi umani da cui si traggono quei canti di allegria e di velati sospetti maligni per i fraudatori di sempre e in agguato, di imporre tutto e di devastare ciò che è nell'ordine naturale delle cose.

Di questo di più teme l'uomo, che vive perennemente nell'invidia, di quella antica invidia umana che D'Annunzio seppe rappresentare nella comunità dei pastori per l'amore di Aligi verso Mila di Codra. Invidia non celata, non amministrata, ma resa evidente come un sentimento del quale si riconosce. In Abruzzo si è invidiosi per la bellezza, per l'amore, per la gioia della felicita degli altri e tutto questo tessuto sottile si coglie negli sguardi, nei mezzi sorrisi, nelle piccole paroline e nello sfiorare delle epidermidi sulle altre epidermidi. Sentimenti che hanno valore di una legge, di uno statuto sentimentale di un popolo. Popolo depredato nella variazione dei tempi e dei modi stabiliti della pirateria del più forte, non escluso quello del suo orso bruno che ruba granoturco e pecore e del suo lupo che le sbrana.

Da qui il sorgere di una cucina che sa di tiglio ove l'inserimento del peperoncino è quel tanto di spiritoso maligno che troviamo negli affetti umani, come la variopinta gamma di colore e di forme che hanno le innumerevoli qualità di fagioli che si coltivano, al mutar dei venti caldi, nelle anse e nelle gole del suo paesaggio e che costituiscono, per i maschi d'Abruzzo, motivi di ilarità e di scommesse in quanto questo legume stimola rumorosi effetti intestinali.

Non c'è cucina nel nostro Paese che non abbia dei valori assoluti che si agganciano alle tradizioni, ma per l'Abruzzo c'è da pensare che più che dalla tradizione, la sua cucina nasce attraverso i sottili fili degli umori bucolici, comunque nei segretissimi meandri atmosferici degli istintivismi delicati, dei valori poetici dell'esistenza eterna della vita. Certi suoi dolci rustici hanno ancora la forma di cattedra-li o di visi di persone esistite e variamente amate e odiate. Non è questione di gastronomia, ma di uomini e donne di cui la cucina abruzzese è intessuta tradizionalmente. Per localizzarla geograficamente si fa riferimento al Teramano. In effetti a questa zona va attribuito un famoso menu rurale che costituisce l'anello di congiunzione gastronomico di tutto l'Abruzzo e che ancora oggi sopravvive anche fuori del proprio territorio. Il menu si chiama "La Panarda" ed è costituito di ben trentasei cibi, fra loro competitivi e autonomi in quanto a sapore e aspetto visivo. Dal capretto al forno alle screpelle bagnate al brodo di gallina; dai maccheroni alla chitarra, da questo arnese a forma di chitarra, all'abbacchio con patate al forno; dal tacchino ripieno lesso all'involtino di vitello in umido di pomodoro; dai dolci di mandorle, e, da piatto a piatto, sei piccoli brodini in tazza crea quella necessità digestiva e di distacco per meglio assaporare i cibi. Brodini caldi di manzo, di verdure di pollo, di cicorie. Trentasei portate tra vini di montagna aspri e aciduli; proprio per fauni che invidiano e invitano alle chiacchierate e alle sottili risate a mezza bocca. Volendo mangiare al mare non c'è che rifarsi all'unico piatto, sempre al peperoncino, e agli aromi abruzzesi: il "brodetto pescarese" cotto al tegame di coccio o la triglia al pomodoro di Giulianova. Ma nulla è impareggiabile quanto l'agnellino di primo latte incarpochiato nel cestello e tenuto per qualche giorno fra la mentuccia e l'origano e poi, tenero tenero, arrostito allo spiedo; a tutto questo va fatto un contorno di mozzarella, anch'essa allo spiedo, contorni di fagioloni di Paganica dell'Aquila, di sedano o di erbe selvatiche all'aceto. Sempre sull'agrodolce c'è un piatto di mezza collina, a Penne, anch'esso acidulo, che chiamano "agnello a cacio e uovo": il cacio s'intende quello pecorino. Misture storiche, per gole a misura d'uomo, come il suo liquore centerbe fatto di erbe di alta montagna e di gradazione oltre i settanta gradi, verde smeraldo, quasi fluorescente.

Un popolo che ha letto Ovidio e le Bucoliche ha negli occhi l'amore per la resistenza eterna della sua terra che ora si sprofonda nelle grandi valli del Fucino e del Sangro e ora sale in alto sulle vette del Corno Grande o nelle caverne dei suoi antenati. Ma nell'Abruzzo, ed è la sua parte più inedita ancora per tanta gente, l'industrializzazione e il consumismo non s'insediano prepotentemente da nessuna parte. Anche se Pescara fa eccezione, tuttavia si sente nelle sue strade il rupestre e il vociare contadino nei suoi misteri e dei suoi fatali sospetti per il presente irrinunciabile. Le grandi vie autostradali che ora l'attraversano, agli abruzzesi rimarranno estranee, preferiranno sempre quei percorsi per i quali le greggi emigravano e che i suoi partigiani usarono per la guerriglia antifascista. Ogni velleitaria conquista, da pionieri di ogni genere e di ogni provenienza, qui naufraga se per pionierismo dovesse intendersi mancanza di rispetto e di amore per queste "sacre terre d'Abruzzo".

Remo Brindisi

Conversioni

GRAMMI	*GRANI (Grains)*	*ONCE (Onces)*
1	15,4	0,035
2	30,9	0,071
3	46,3	0,106
4	61,7	0,141
5	77,2	0,176
6	92,6	0,212
7	108	0,247
8	123	0,282
9	139	0,317
10	154	0,353
25	386	0,882
50	772	1,76
75	1157	2,65
100	1543	3,53
500	7715	17,6
1000	15430	35,3

LE DOSI DELLE RICETTE SONO PER 6 PERSONE.
THE QUANTITIES OF THE RECIPES ARE FOR 6 PERSONS.

Sapori abruzzesi

Antipasti

Scamorza ai ferri

Preparazione: rapida

Ingredienti: scamorza, olio, sale, pepe

Grado di difficoltà: facile

La scamorza abruzzese è rinomata per la sua tenera pasta dal sapore delicato. Potete ungerla bene con olio d'oliva e cuocerla al calore della brace. Calda, con sale e pepe, è un ottimo antipasto.

Il vino consigliato

TREBBIANO d'ABRUZZO. Colore giallo paglierino; profumo vinoso, gradevole; sapore asciutto, sapido, armonico.

Grilled "scamorza"

"Scamorza" of Abruzzo (a kind of cheese) is famous for its softness and its delicate taste. Grease it well with olive oil and cook it over a charcoal fire. Hot, with salt and pepper, it is an excellent hors d'oeuvre.

Scamorza a la vrasce.

La scamorza mulesana è famosa pe' la pasta tenera e p'u sapore delecate. Pe' l'ante-paste, l'aveta preparà accuscī: ugnetela bbuo-ne che l'oglie r'aulive e cucetela a lu ruber-bere de' la vrasce.
Calla che sale e pepe, jè lu meglie antepaste.

Testina di capretto

Preparazione: rapida

Ingredienti: 1 testina di capretto, pangrattato, olio, sale, peperoncino, sedano, prezzemolo

Grado di difficoltà: facile

Spaccate a metà una testina di capretto, cospargetela di pangrattato e conditela con olio, sale e peperoncino, quindi infornatela. Deve cuocere a fuoco moderato. Servitela guarnendo il piatto con sedano e abbondante prezzemolo.

Il vino consigliato

CONTROGUERRA ROSSO. Colore rosso rubino intenso; profumo vinoso e caratteristico; sapore asciutto, armonico, vellutato, leggermente tannico.

Kid's head

Cut 1 kid's head into halves, sprinkle it with breadcrumbs, season with oil, salt and chilli pepper, then cook it in a moderate oven. Serve with a decoration of celery and abundant parsley.

Testina re capritte.

Spaccate a mmieze na testina re capritte; mmantatela re pane rattate, cunditela che l'o=glie, sale e riaulille e 'nfurnatela.
Ara coce a fuoche liente.
Purtatela 'ntaula rente a na sperlonca, uar=nita che mazzette re lacce e tanta purdesinere.

"Crostoli"

 *Preparazione:* rapida

 *Ingredienti:* pane raffermo, latte, scamorza, sale, pepe

Grado di difficoltà: facile

Riempite il fondo di una teglia, unta d'olio, con larghe fette di pane raffermo, inumidito di latte. Disponete sul pane delle fette di scamorza, condite con sale e pepe, e infornate.

Il vino consigliato

MONTEPULCIANO d'ABRUZZO. Colore rosso rubino vivo; profumo gradevole, vinoso; sapore asciutto, corposo, caldo, sapido.

"Scamorza" croutons

Line the base of a baking-pan, greased with oil, with large slices of stale bread moistened with milk. Arrange slices of "scamorza" on the bread, salt, pepper, and cook in the oven.

Crustini o "crostoli".

Rempiete ju funnu de nu ticame, spar-
metici prima nu vilittu de oiju, pijete nu
pocu de fette de pà raffermu 'nfussu allo
latte. Mettete sopra lo pà, fittine fine fine de scamorza di Rivisondili, aggiungetici sale e pepe e mettetele aju furnu, a
coce a focu lentu.

Pane all'aglio

Preparazione: rapida

Ingredienti: pane cesereccio, aglio, olio, sale, pepe

Grado di difficoltà: facile

Tostate delle larghe fette di pane casereccio aromarizzate all'aglio, disponetele in un capace piatto di portata e conditele con olio, sale e pepe.

Il vino consigliato

TREBBIANO d'ABRUZZO. Colore giallo paglierino; profumo vinoso, gradevole; sapore asciutto, sapido, armonico.

Garlic-flavoured bread

Toast some large slices of home-made bread, flavour them with garlic, put them in a wide dish and season with oil, salt and pepper.

Bruschetta o pa' all'aiju.

Tostete poche fette de pă casareccia, non tandu paccute, spalmetele co j'aiju, mettetele a nu piattu beju largu e dapò le cundite co aiju, sale e pepe.

SALSE

Ragù di castrato

Preparazione: impegnativa

Ingredienti: 300 g di polpa di castrato, 50 g di grasso di maiale, 1 cipolla, 1 carota, ½ peperoncino, 8 pomodori pelati, sale, pepe, rosmarino, olio, 1 bicchiere di vino rosso secco

Grado di difficoltà: facile

Per ottenere questo gustoso ragù, occorrono 300 g di polpa di castrato tritato, 50 g di grasso di maiale tagliato a dadini, 1 cipolla, 1 carota e mezzo peperoncino tritati, 8 pomodori pelati, privati dei semi e tagliuzzati, sale, pepe, rosmarino, mezzo bicchiere d'olio e 1 bicchiere di vino rosso secco. Soffriggete il grasso di maiale, la cipolla, la carota e il rosmarino, e nel soffritto fate ben rosolare la carne di castrato. Versate il vino e lasciatelo evaporare, salate, pepate e unite il pomodoro con il peperoncino. Cuocete la salsa a fuoco moderato e a tegame semicoperto. Ottimo per condire i maccheroni "alla chitarra".

Il vino consigliato

MONTEPULCIANO d'ABRUZZO. Colore rosso rubino vivo; profumo gradevole, vinoso; sapore asciutto, corposo, caldo, sapido.

Mutton sauce

To prepare this tasty meat sauce, you need 300 g of minced lean mutton, 50 g of diced pork fat, 1 onion, 1 carrot, half a chilli pepper, 8 tomatoes, peeled, without seeds and chopped, pepper, rosemary, half a glass of oil and 1 glass of dry red wine. Fry lightly the pork fat, the onion, the carrot and the rosemary, then add the meat. Pour in the wine and let it evaporate, then add salt, pepper, the tomatoes and the chilli pepper. Leave to cook on a moderate flame, the pan half-covered. Ideal to season guitar style pasta.

Ragù de crastatu.

Pe ottenè stu ragù che te fa leccà ji baffi, ci serveno 300 gr. de porpa de crastatu tritatu, 50 gr. de rassu de porcu tajatu a pizzitti, na cipolla, na carota, mezzu pipiruncinu tritatu, 8 pumaore pelate senza semi e tajate a pizzitti, sale, pepe, rosomarinu e mezzu picchiere d'oiju co nu picchieru di vinu ruscìu siccu.

Suffriggete lo rassu de porcu, la cipolla, la carota e lo rosmarinu, a oju suffrittu ci fecete arrosolà la ciccia de crastatu. Verseteci lu vinu e fecetelo 'vaporà, salete, pepete, e mettetici quacche pumaora co ju pipiruncinu. Cocete la salsa a focu lentu co ju ticame quaci copertu.

Sta salsa è magnifica pe cundì i "maccarù alla chitarra".

Guazzetto di Ciavarre

Preparazione: impegnativa

Ingredienti: 350 g di polpa di pecora tritata, olio, 2 spicchi d'aglio, rosmarino, 1 bicchiere di vino bianco secco, 8 pomodori pelati, ½ peperoncino, sale, pepe

Grado di difficoltà: facile

È un ragù preparato con polpa di pecora giovane. Occorrono 350 g di trito di polpa di pecora, tolta dalla coscia. In mezzo bicchiere d'olio, soffriggete 2 spicchi d'aglio e qualche rametto di rosmarino. Nel soffritto fate rosolare la carne nella quale, quando avrà preso un bel colore scuro, farete evaporare 1 bicchiere di vino bianco secco. Aggiungete poi 8 pomodori pelati e tagliuzzati, mezzo peperoncino, sale e pepe. Fate cuocere a fuoco basso e a tegame semicoperto. Con questa salsa potete condire pasta o riso.

Il vino consigliato

CONTROGUERRA BIANCO. Colore giallo paglierino; profumo gradevole, fruttato; sapore asciutto con lieve retrogusto amarognolo.

Meat sauce from Ciavarre

This sauce is made with young sheep's meat. You need 350 g of minced meat cut from the thigh. Fry 2 cloves of garlic and some rosemary in half a glass of oil. Add the meat and let it fry until it becomes nice and brown, then pour in 1 glass of dry white wine and let it evaporate. Finally add 8 tomatoes, peeled and chopped, half a chilli, salt and pepper. Leave to cook on a low flame, the pan half-covered. With this sauce you can season pasta or rice dishes.

Guazzittu de ciavarre.

È nu normale ragù compostu da polpa de pechera giovine, senza fijà. Ci serveno 350 gr. de porpa de pechera tritata capata alla coscia.

A mezzu picchieru d'aiju, fecete suffrigge dù spicchi de aiju e quacche fojetta de rosomarinu.

Aju suffrittu fecete arrosolà la carni, la quale, quandu ha pijatu nu culurittu scuru, feceteci 'vaporà nu picchiere di vinu biancu siccu.

Aggiungetici dapò 8 pumaore a focu lentu co ju ticame quaci chiusu.

Co sta salsa ci potete cundì pasta o risu.

Ragù di salsiccia

Preparazione: impegnativa

Ingredienti: 300 g di salsiccia, 50 g di prosciutto crudo, ½ cipolla, sale, pepe, 8 pomodori pelati

Grado di difficoltà: facile

Liberare 300 g di salsiccia dal budello e tritatela ancora un poco. In un tegame fate soffriggere 50 g di prosciutto crudo tagliato a dadini e mezza cipolla affettata finemente. Unite la salsiccia e fatela rosolare bene, poi salate, pepate e aggiungete 8 pomodori pelati, senza semi e tagliuzzati. Coprite il tegame e cuocete a fuoco basso mescolando frequentemente.

Il vino consigliato

CONTROGUERRA ROSSO. Colore rosso rubino intenso; profumo vinoso e caratteristico; sapore asciutto, armonico, vellutato, leggermente tannico.

Sausage sauce

Skin and mince 300 g of sausage. Fry 50 g of raw ham cut into cubes and half an onion finely sliced in a pan. Add the sausage and leave to fry, then add salt, pepper and 8 tomatoes, peeled, without seeds and chopped. Cover the pan and allow to cook on a low flame mixing frequently.

Ragù de sauciccia.

Levete a 300 gr. de sauciccia la pelle e trite=
te la carni n'atru pocu. A nu ticame de=
cocciu facete suffrigge 50 gr. di prucciuttu cruo
tajatu a daducci co mezza cipolla affettata
fina fina. Mettetici endru la sauciccia e fa=
cetela arrosolà bonu bonu, dapò salete e aggiun=
getici òtto pumaore pelate, senza semi e tajate.
Chiuete ju ticame e fecete coce a focu lentu
mischiando ogni tandù.

Olio santo

Preparazione: rapida

Ingredienti: ½ peperoncino, ½ dl di olio vergine di oliva

Grado di difficoltà: facile

È una salsa molto piccante che serve a condire piatti di bollito. In una bottiglietta, ben lavata e asciugata, introducete mezzo peperoncino, anch'esso pulito accuratamente con un panno appena umido, liberato dei semi e tagliato in piccoli pezzi. Aggiungete mezzo decilitro d'olio vergine d'oliva, tappate ermeticamente la bottiglietta e lasciatela in luogo fresco per 5 o 6 giorni. L'olio santo va utilizzato con molta parsimonia perché, come vi sarà facile provare, è fortissimo.

Holy oil

It is a very piquant sauce suited for seasoning boiled meat. In a small bottle, washed and dried carefully, put half a chilli well cleaned with a wet towel, cleared of the seeds and cut into small pieces. Add half a tenth of a litre of pure olive oil, seal the bottle hermetically and keep it in a cold place for 5 or 6 days. The holy oil must be used with parsimony because, as you can easily test, it is very strong.

Oiju sandu

È na salsa parecchiju pizzicosa che serve pe condì piatti de carne bullita. A na buttijetta, allavata e ascimcata, mettetici mezzu pipirunu cimu pulitu, come Dio comanna, co nu pannu quaci umidu, levetici i semi e taijeteju a pizzitti. Aggiungete mezzu dicilitru d'oiju vergine d'uliva, chjuete ermetigamente la buttijetta e lascetela in fuscu pe 5 o 6 jorni. L'oiju sandu tea esse addopratu senza esagerà pecchè, come è facile capì, è pizzicusissimu.

Pastasciutte, Minestre e Zuppe

“Brudisigli”

Preparazione: impegnativa

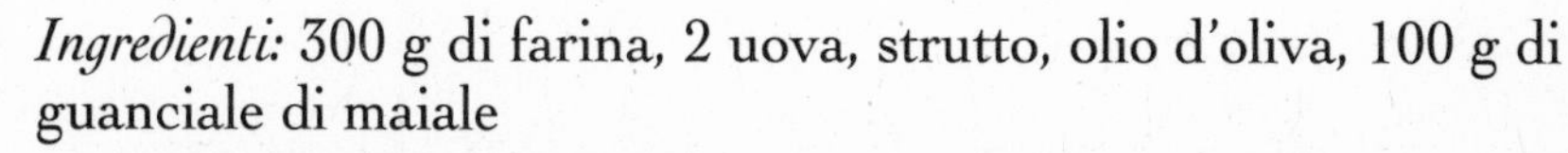

Ingredienti: 300 g di farina, 2 uova, strutto, olio d’oliva, 100 g di guanciale di maiale

Grado di difficoltà: complessa

Con 300 g di farina, 2 uova e una noce di strutto, preparate una pasta che spianerete in sfoglie non troppo sottili. Tagliatele a strisce non molto larghe e fatele asciugare. In poco olio d’oliva, fate soffriggere 100 g di guanciale di maiale tagliato a pezzi. Cuocete la pasta e, a metà cottura, unite il guanciale soffritto. Servite col brodo di cottura. Sembra che questa minestra sia particolarmente adatta alle puerpere perché favorisce la secrezione lattea.

Il vino consigliato

CONTROGUERRA BIANCO. Colore giallo paglierino; profumo gradevole, fruttato; sapore asciutto con lieve retrogusto amarognolo.

Strips in broth

Prepare a dough with 300 g of flour, 2 eggs and a knob of lard, then roll it out into not too thin sheets. Cut them into thick strips and leave to dry. Fry lightly 50 g of diced pork jowl in little olive oil. Cook the dough and, when half done, add the fried pork. Serve with the cooking broth. It is said that this soup is particularly suited for parturients as it favours milk secretion.

Brudusiji.

Si pijeno 300 gr. de farina, 2 ova e nu pocu di strattu, s'ammassa la pasta de farina e se spiana co ju rutulu (mattarello). se fa na sfoja chijuttostu paccuta tajata a strice non tandu larghe e se fanno asciucà all'aria.

Pijete nu picchierucciu de oju d'uliva, fece te suffigge 100 gr. de guanciale de porcu nostra nu tajatu a pizzitti. Mettete a coce la pasta, a metà cuttura scolete nu pocu de acqua e mettetici ju guanciale suffrittu. Servete co ju brodu de cuttura.

Si 'ice che sta minestra è indicata pe le femmine che tenghenо allattà, perchè produce la secrezziò dello latte.

Minestrone "le virtù"

Preparazione: impegnativa

Ingredienti: ½ kg di legumi secchi (fave, fagioli, lenticchie, ceci, chicchi di grano), 1 piedino di maiale, 150 g di cotiche, 1 kg di verdura mista (cicoria, biete, indivia, carote, sedano, cipolla, basilico, prezzemolo, 1 spicchio d'aglio), 4 pomodori, olio, sale, peperoncino, noce moscata, chiodi di garofano

Grado di difficoltà: complessa

Anche questa è una preparazione tipica teramana, anzi può definirsi ricetta classica, riconducibile a una tradizione che riassume i dati caratteristici di questo popolo laborioso e parco. Non esistono dosi per questa minestra, né esiste una precisa indicazione sulla natura degli ingredienti. Alcuni sostengono che occorrono 7 tipi di legumi e 7 tipi di verdure. Ci atterremo, comunque, all'esperienza personale.
Mettete in ammollo dei legumi secchi (fave, fagioli, lenticchie, ceci o chicchi di grano), per un totale di mezzo kg circa, e lasciateveli per una notte intera. Scottate in acqua bollente 1 piedino di maiale e 150 g di cotiche. Lessate 1 kg di verdura mista (cicoria, biete, indivia, carote, sedano, cipolla, basilico, prezzemolo e 1 spicchio d'aglio). L'indomani versate in una pentola capace i legumi, il piedino di maiale e la cotenna tagliati a pezzi, la verdura lessata, tritata grossolanamente, 4 pomodori maturi pelati, privati dei semi e tagliuzzati, 1 bicchiere d'olio d'oliva, sale e peperoncino, un pizzico di noce moscata e di chiodi di garofano polverizzati. Mescolate per qualche minuto, quindi diluite con l'acqua della verdura, che avrete tenuto in caldo.

Il vino consigliato

MONTEPULCIANO d'ABRUZZO. Colore rosso rubino vivo; profumo gradevole, vinoso; sapore asciutto, corposo, caldo, sapido.

Thick soup

Also this recipe is a typical preparation of Teramo that can be even considered a classical recipe, proceeding from the traditional characteristics of this hard-working and frugal people. There are neither exact measures nor exact instructions about the ingredients. Someone affirms that 7 kinds of leguminous plants' seeds and 7 kinds of vegetables are required. However, we will follow our personal experience with the hope that you will like the result. Leave about half a kg of dried vegetables (fava beans, lentils beans, chickpeas or wheat grains) to soak overnight. Scald 1 pig's trotter and 150 g of pork rind in boiling water. Boil about 1 kg of mixed vegetables (chicory, swiss-chard endive, carrots, celery, onion, some basil leaves, a sprig of parsley and 1 clove of garlic). The following day put in a wide pan the soaked vegetables, the pig's trotter and the pork rind, both cut into pieces, the boiled and coarsely chopped vegetables, 4 ripe tomatoes, peeled, without seeds and chopped, 1 glass of olive oil, salt, chilli, a pinch of nutmeg and one of powdered clove. Mix for some minutes, then thin with the vegetables water, that you kept hot.

Minestrò "Le virtù".

Pure questa è na ricetta tipica teramana, anzi, se po definì ricetta classica che se pò rallaccià alla tradiziò che ci fa vetè la carattiristica di stu populo labboriusu e parcu.

Non isistono dosi pe sta minestra, sei o sette tipi di legumi e atrettandi di verdure, non ha importanza.

Se metteno ammullu endru l'acqua (fave, facioli, linticchie, cici, co quacche acinu de granu) per quaci 1/2 kg. circa e se lasceno pe 'na notte. Fecete coce all'acqua bollende nu zampittu de porcu e 150 gr. de cotiche. Allessete 'nu Kg. de virdura assurtita (cicoria, bietula, innivia, carote, selleru, cipolla co quacche foja de basilicu) nu cinfittu de prezzemolu e nu spicchiju de aiju); ju jornu appressu mettete a na cotterella ji ligumi, ju zampittu de porcu e la cotica tajata a pizzitti, la virdura allessata e tajiata, ji pumaore mature pelate senza semi tajate a pizzitti, nu picchieru d'oiju d'uliva, sale e nu pipirencinu pizzicusu, na pizzichiju de noce moscata e nu chiodu de garofanu pulvirizzatu. Mischiete tuttu pe quacche minutu, dapò allunghete la minestra co ju brodu callu della virdura e la minestra è pronta.

"Scripelle 'mbusse"

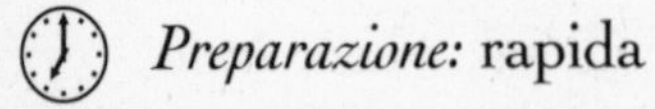

Preparazione: rapida

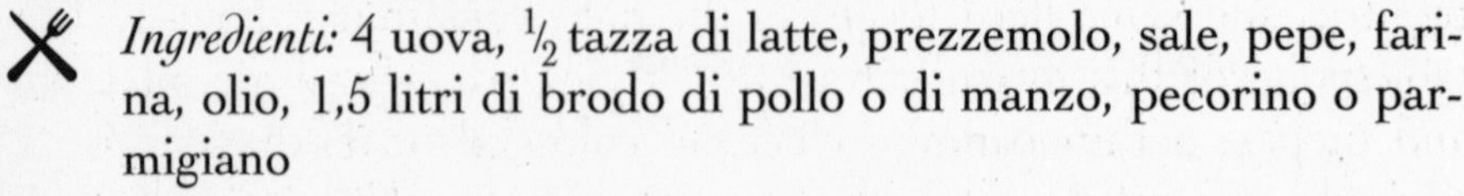

Ingredienti: 4 uova, ½ tazza di latte, prezzemolo, sale, pepe, farina, olio, 1,5 litri di brodo di pollo o di manzo, pecorino o parmigiano

Grado di difficoltà: facile

Le "crispelle" (per metatesi "scripelle") sono frittatine sottili. Questa preparazione è una tipica ricetta della zona di Teramo. Con 4 uova, mezza tazza di latte, del prezzemolo tritato, sale e pepe, preparate il composto per le frittatine al quale darete consistenza unendo poco per volta della farina. In una piccola padella, con pochissimo olio, versate una cucchiaiata del composto e preparate una frittatina sottile, ben colorata da ambedue i lati. Continuate così sino a esaurimento del composto. Spolverizzate con formaggio pecorino la superficie delle frittatine e arrotolatele, in modo da farne tanti cannelloni. Disponetele in un largo tegame e irroratele con 1 litro e mezzo di brodo di pollo o di manzo. Terminate con pecorino o parmigiano abbondante.

Il vino consigliato

TREBBIANO d'ABRUZZO. Colore giallo paglierino; profumo vinoso, gradevole; sapore asciutto, sapido, armonico.

Pancakes in broth

These very thin pancakes are prepared according to a recipe typical of the Teramo district. Prepare a mixture with 4 eggs, half a cup of milk, some chopped parsley, pepper and salt, then, little by little, add some flour to give it the right consistency. Pour 1 tablespoon of this mixture in a small frying pan with little oil, and prepare a thin pancake nice and coloured on both sides. Sprinkle the surface of all the pancakes with grated "pecorino" cheese, then roll them up. Arrange all the rolls in a large pan, pour 1 litre and a half of chicken or beef broth into. Finish with abundant grated "pecorino" or Parmesan cheese.

Scrippelle 'nfusse.

Le "scrippelle" so fittatine suttili suttili. La ricetta è tipicamende della zona teramana.

Ci 'anno 4 ova, mezza tazzetta de latte, prezzemolo tritatu, sale, pepe, tuttu messu endru nu tegame. Mendre si mischia s'aggiunge farina de granu teneru finu affà na spece de pastella quaci liquida. Si pija na patelluccia, ugni tandu se sparma de burru o nu vilucciu de oiju d'uliva. Se mette na cucchiaro de pastella endru la patella e se scalla sopre e sottu. Quandu è finita la pastella, a ogni fittatina sicci mettè nu pocu di picurinu 'rattatu. Le fittatelle cuscinda preparate, s'abbuticchieno una pe una e sicci fanno tandi cannillù.

A nu piattu cupputu piinu de brodu de callina ruspande o de manzu giovine, sicci metteno 4 o 5 scrippelle affocate e sicci remette atru caciu picurinu o parmiggianu a volondà.

Cardoni in brodo

Preparazione: impegnativa

Ingredienti: 1,5 kg di cardi, 300 g di carne di maiale, 5 uova, olio, pecorino e parmigiano, peperoncino, ½ cipolla, 1 costa di sedano, sale, pepe, 1,5 litri di brodo di tacchino

Grado di difficoltà: complessa

Procuratevi 1 kg e mezzo di cardi teneri. Puliteli accuratamente, tagliateli a tronchetti e lessateli in acqua leggermente acidulata. Scolateli bene e lasciateli al caldo. Tritate 300 g di carne di maiale piuttosto magra e lavorate il trito con 1 rosso d'uovo, poco olio, pecorino grattuggiato, sale e peperoncino. Quando gli ingredienti si saranno amalgamati, fatene delle piccolissime polpettine, che lesserete in poca acqua, aromatizzata con mezza cipolla e 1 costa di sedano. Battete 4 uova intere con 2 cucchiai di formaggio grattuggiato (parmigiano o pecorino), sale, pepe, e amalgamatele con i cardi. Versare in un tegame capace tutti gli ingredienti; allungateli con 1 litro e mezzo di brodo di tacchino, aggiustate di sale e pepe, portate a bollore e servite subito.

Il vino consigliato

MONTEPULCIANO d'ABRUZZO CERASUOLO. Colore rosso ciliegia; profumo vinoso, gradevole, fruttato; sapore secco, morbido, armonico.

Cardoons in broth

Buy 1 kg and a half of tender cardoons. Clean them carefully, then cut them into pieces and boil them in acidulated water. Drain them well and keep them hot. Mince 300 g of rather lean pork, then blend it with 1 eggyolk, little oil, grated "pecorino" cheese, salt and chilli. When the ingredients are well blended, shape many very small rissoles, which have to be boiled in little water flavoured with half an onion and 1 stick of celery. Beat 4 whole eggs with 2 tablespoons of grated cheese (pecorino or Parmesan), salt, pepper, and blend them with the cardoons. Put all the ingredients in a wide baking-pan; thin with 1 litre and a half of turkey broth, check salt and pepper, bring to the boil and serve immediately.

Cardu aju brodu.

Pijete dei cardu novelli, pe nu chilu e mezzu. Pulizzetij boni boni, taijete a trunchitti e allessete co acqua leggermende acidata.

Scolete e lascete allo callu. Tritete bonu 300 gr. de carne de porcu chijuttostu magra e aggiungete nu ruscio d'ovu, pocu aju, formaggio picurino 'rattatu, sale e pipiruncinu. Quandu tuttu s'è 'mmischiatu bonu, fecete delle picchele polpittine da allessà co poca acqua, mezza cipolla e nu pizzittu de selleru.

Sbattete 4 ove, co 2 cucchiare de formaggio 'rattatu (parmiggianu o picurinu), sale, pepe che amalgamete co ji cardu e versete a nu ticame capace, tutti j'incredienti, aggiungetici nu litru e mezzu de brodu de callinacciu, mettetici sale e pepe, fecete bulli e servete subbitu.

Minestra di cipolle

Preparazione: rapida

Ingredienti: 3 cipolle, olio d'oliva, sale, pepe, crostini di pane

Grado di difficoltà: facile

Affettate finemente 3 belle cipolle e fatele soffriggere in abbondante olio d'oliva. Quando le cipolle accenneranno ad assumere la caratteristica trasparenza, salate, pepate e irrorate con 1 litro e mezzo di acqua bollente. Fate cuocere per circa mezz'ora e servite con crostini di pane tostato.

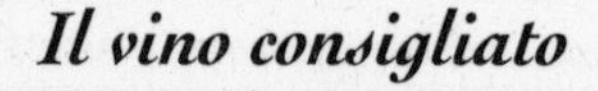

TREBBIANO d'ABRUZZO. Colore giallo paglierino; profumo vinoso, gradevole; sapore asciutto, sapido, armonico.

Onion soup

Slice finely 3 nice onions and fry them lightly in abundant olive oil. When the onions are going to become transparent, add salt, pepper and 1 litre and a half of boiling water. Leave to cook for about 30 minutes and serve with toasted bread croutons.

Minestra de cipolle.

S'affetteno a pizzitti 3 grosse cipolle nostrane e se fanno suffrigge in abbondande oiju d'uliva. Quanolu le cipolle cumingeno a diventà traspa-rendi, mettetici sale e pepe e affoghetele endru nu litru e mezzu de acqua bollende. Fecete coce pe circa mezz'oretta e servete co crustini de pà abbrustulitu.

Zuppa di cime d'ortica

Preparazione: rapida

Ingredienti: 800 g di cime d'ortica, olio, 100 g di pancetta, 1 cipolla, 4 pomodori pelati, sale, peperoncino

Grado di difficoltà: facile

Occorrono 800 g di cime d'ortica, liberate dalle foglioline. Togliete alle cime i filamenti, lavatele e tagliatele a pezzi. In un tegame, fate soffriggere in poco olio 100 g di pancetta tagliata a dadi e 1 piccola cipolla affettata sottilmente. Appena la cipolla sarà diventata trasparente, unite 4 pomodori pelati, privati dei semi e tagliuzzati e, subito dopo, le cime d'ortica. Aggiustate di sale e aggiungete una buona dose di peperoncino, quindi allungate a poco a poco con acqua bollente. Terminate la cottura a tegame coperto e servite la zuppa ben calda.

Il vino consigliato

MONTEPULCIANO d'ABRUZZO CERASUOLO. Colore rosso ciliegia; profumo vinoso, gradevole, fruttato; sapore secco, morbido, armonico.

Soup of nettle tops

You need about 800 g of nettle tops cleared of the little leaves. Remove the outer fibres from the tops, then wash and cut them into pieces. Fry lightly 100 g of diced bacon and 1 finely sliced onion in a pan with little oil. As soon as the onion becomes transparent, add 4 tomatoes, peeled, without seeds and chopped, and then the nettle tops. Check the salt and add a good quantity of chilli; then, little by little, thin with the necessary quantity of boiling water. Leave to cook with a lid on and serve very hot.

Zuppa di cime d'urtica.

800 gr. di cime d'urtica, senza le fojie. Se tajeno alle cime ji filamendi, se laveno e se tajeno a pizzitti. A nu ticame, facete suffriggere a nu pocu d'oiju, 100 gr. de pancetta tajata a daducci e na cipolletta tajata a fittine. Appena la cipolla cumingia a divendà trasparende, mettetici 4 pumadore pelate senza semi tajate a pizzitti e, dapò, le cime d'urtica. Aggiungete sale e na bella dose de pipiruncinu, pò allunghete, a pocu a pocu, acqua bollente quantu ne serve. Tenete la cuttura a ticame copertu e dopu, servete la zuppa bella calla.

Brodo di pesce

 *Preparazione:* impegnativa

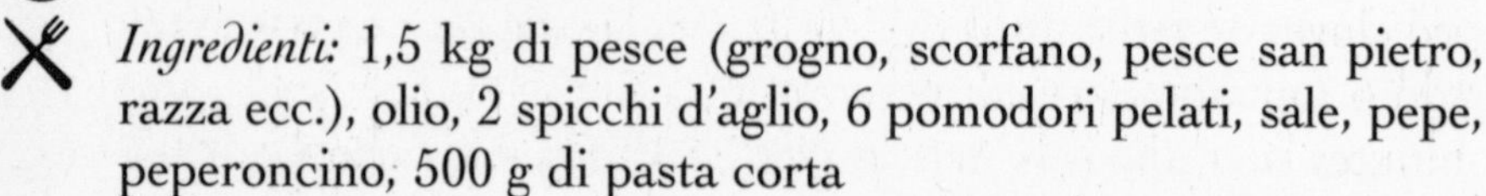

Ingredienti: 1,5 kg di pesce (grogno, scorfano, pesce san pietro, razza ecc.), olio, 2 spicchi d'aglio, 6 pomodori pelati, sale, pepe, peperoncino, 500 g di pasta corta

Grado di difficoltà: complessa

Occorre 1 kg e mezzo di pesce vario (grogno, scorfano, pesce san pietro, razza ecc.) che svuoterete delle interiora, squamerete e laverete in acqua corrente. In un tegame capace, fate imbiondire in 1 bicchiere d'olio 2 spicchi d'aglio finemente tritati. Unite 6 pomodori pelati, privati dei semi e tagliuzzati e, dopo qualche minuto, il pesce. Salate, pepate, spolverizzate del peperoncino tritato e lasciate cuocere a tegame semicoperto, aggiungendo 2 litri circa di acqua bollente. Quando il pesce sarà cotto, toglietelo dal tegame e lasciatelo in caldo con un poco di brodo. Nel brodo rimanente cuocete 500 g di pasta corta. Avrete così pronto un primo e un secondo per una colazione di magro.

Il vino consigliato

CONTROGUERRA CHARDONNAY. Colore giallo paglierino poco intenso; profumo delicato, gradevole, tipico; sapore asciutto e armonico.

Fish broth

You need 1 kg and a half of different varieties of fish (conger eel, scorpion-fish, John Dory, ray etc.) that you will clear of the entrails, scale and wash under running water. Fry 2 finely chopped cloves of garlic until golden in a wide pan with 1 glass of oil. Add 6 tomatoes, peeled, without seeds and chopped, and, some minutes later, the fish. Salt, pepper, sprinkle some chopped chilli on and, the pan half covered, leave to cook adding 2 litres of boiling water. When the fish is done, remove it from the pan and keep it hot in some broth. Cook 500 g of macaroni in the remaining broth. In this way you have a first and a second course for a fast-day lunch.

Brodu de pesce.

Ci servenо kg. 1,500 de pesce assurtitu friscu (grongu, scorfenu, pesce de S. Pietru, raggia ecc.); levetici tutte l'andiriore e allavetejiu coll'acqua corrente. A nu ticame abbastanza grossu, co nu picchiere de oiju, ci fecete colorà 2 spicchi de aiju tritatu finu finu. Aggiungete 6 pumaore pelati senza semi, retajati; dopu quacche minutu se mette ju pesce. Salete, pepete, spulvirizzete ju pi-pirunciнu tritatu e mettete a coce a focu lentu co ju ticame non tandu chiusu, aggiungete anco-ra dell'acqua bollente per circa 2 litri.
Quandu ju pesce è cottu, se lea daju ticame e se lascia in callu co nu pocu de brodu.
Aju brodu che ci remane cocetici 5 etti di cannarozzitti o de atra pasta tajata.
Come se pò vetè unu te prandu nu primu e nu secondu pe nu jornu de magru.

Guazzetto di mare

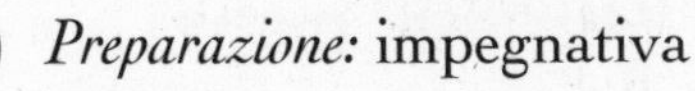

Preparazione: impegnativa

Ingredienti: 1,5 kg di pesce (merluzzo, dentice, scampi, gamberi, mormora), olio, 2 spicchi d'aglio, ½ peperoncino, aceto, sale, pepe, crostini di pane all'aglio

Grado di difficoltà: complessa

È una zuppa pescarese assai buona, la cui riuscita dipende dalla qualità dei pesci. Acquistate 1 kg e mezzo di pesce misto: merluzzo, dentice, scampi, gamberi e mormora. In un tegame portate a bollore mezzo litro d'acqua con 2 cucchiai di olio, 2 spicchi d'aglio, mezzo peperoncino tagliuzzato, 1 cucchiaio d'aceto, sale e poco pepe. Unite il pesce svuotato e squamato e lasciate cuocere per un quarto d'ora. Servite subito con crostini di pane tostato aromatizzato all'aglio.

Il vino consigliato

TREBBIANO d'ABRUZZO. Colore giallo paglierino; profumo vinoso, gradevole; sapore asciutto, sapido, armonico.

Fish soup

It is a very tasty soup from Pescara, whose good flavour depends on the quality of the fish. Buy 1 kg and a half of mixed fish: cod, dentex, Dublin Bay prawns, shrimps, striped bream. Bring to the boil half a litre of water with 2 tablespoons of oil, 2 cloves of garlic, half a chopped chilli, 1 tablespoon of vinegar, salt and little pepper. Add the fish, emptied and scaled, and leave to cook for 15 minutes. Serve with toasted bread croutons flavoured with garlic.

Guazzittu de mare.

La riscita dipende dalla qualità deju pesce assurtitu. Ci servenо kg. 1,500 de pesce (mir-luzzu, dendice, scambi, gambiri e mormora).

A nu ticame se fanno bullì 1/2 litru de acqua co 2 cucchiare de oiju, 2 spicchi de aiju, 1/2 pipirunciunu pizzicusu tajatu finu finu, na cucchiara d'acitu di vinu, sale e pocu pepe. Mettete aju ticame ju pesce pulitu e allevatu e fecete coce pe 1/4 d'ora.

Servete subbitu co crustini de pà abbrustulitu sparmati de oiju e aiju.

Guazzetto Giuliese

Preparazione: impegnativa

Ingredienti: 1,5 kg di pesce misto (sogliole, code di rospo, triglie, calamari, vongole), olio, aglio, prezzemolo, peperoncino, 1 limone, sale, pepe

Grado di difficoltà: complessa

Questa zuppa è simile alla precedente, solo che cambia la qualità di pesce. Sceglierete, quindi, sogliole, code di rospo, triglie, calamari e vongole. Pulite il pesce e conditelo, crudo, con olio, aglio, prezzemolo, peperoncino, il succo di 1 limone, sale e pepe. Portate a bollore mezzo litro d'acqua e unitevi il pesce, che cuocerete a fuoco moderato, a tegame semicoperto.

Il vino consigliato

CONTROGUERRA BIANCO. Colore giallo paglierino; profumo gradevole, fruttato; sapore asciutto con lieve retrogusto amarognolo.

"Giuliese" fish soup

This soup is similar to the previous one, only the varieties of fish change. Choose sole, angler-fish, red mullet, squids, carpet shells. Clean the fish, then season it still raw with oil, garlic, parsley, chilli, the juice of 1 lemon, salt and pepper. Bring half a litre of water to the boil, put the fish into and, the pan half covered, leave to cook on a medium flame.

Guazzittu alla giuliese.

Sta zuppa è quaci uguale all'atre solu cambia la qualità deju pesce. Pijete perciò, sojole, còe di rispu, trije, calammari e ranghele.
Pulìzzete ju pesce e cundidele a crudu con oiju, aiju, prezzemulu, pipiruncinu pizzicusu, nu limò sprimutu, sale e pepe.
Portete a brellì ½ litru de acqua e mettetici ju pesce che se cocerà a focu lentu, ju ticame tea sta quaci chiusu.

Pasta rossa all'aglio e peperoncino

Preparazione: rapida

Ingredienti: olio, aglio, peperoncino, 8 pomodori, sale, spaghetti, prezzemolo, pecorino

Grado di difficoltà: facile

Per preparare questa pasta, vi servono 8 pomodori di media grossezza, pelati, privati dei semi e tagliati a pezzi. Appena soffritto in olio dell'aglio e del peperoncino, unite il pomodoro, aggiustate di sale e portate a cottura. Lessate gli spaghetti e conditeli con la salsa, aggiungendo abbondante prezzemolo e pecorino grattugiato.

Il vino consigliato

CONTROGUERRA ROSSO. Colore rosso rubino intenso; profumo vinoso e caratteristico; sapore asciutto, armonico, vellutato, leggermente tannico.

Red pasta with garlic and chilli

To prepare this dish, you need 8 medium-sized tomatoes, peeled, without seeds and chopped. As soon as some garlic and chilli have fried in the oil, add the tomatoes, check the salt and leave to cook. Boil the spaghetti, season them with the sauce and add abundant parsley and grated pecorino cheese.

Pasta rascia aj'aiju e pipiruncinu.

A nu ticaminu mettetici nu picchieru de oju, 3 spicchi d'aiju tajatu finu finu e nu pipiruncinu a pizzilti. Fecete suffrigge appena; aggiungete 8 pumaore de media grossezza, pelate senza semi e tajate a pezzi. Non 'appena suffrittu a l'oju, j'aiju e ju pipiruncinu, mettetici le pumaore co sale quantu abbasta e portete a cuttura. Allessete ji spachetti e conditeji co la salsa, aggiungendoci prezzemulu e picurinu 'rattatu.

Zuppa di pesce abruzzese

Preparazione: impegnativa

Ingredienti: olio, 2 spicchi d'aglio, 4 pomodori pelati, 1 peperone rosso, 1,5 kg di pesce (scorfano, grongo, coda di rospo, orata, gamberi ecc.), peperoncino, prezzemolo, sale, pepe

Grado di difficoltà: complessa

Tipicamente abruzzese, questa zuppa è caratterizzata dal peperone rosso dolce, che le conferisce un aroma del tutto particolare. In un tegame, fate soffriggere in mezzo bicchiere d'olio 2 spicchi d'aglio tritati e, quando l'aglio accennerà a prendere colore, unite 4 pomodori pelati senza semi e 1 grosso peperone rosso tagliato finemente. Dopo qualche minuto, aggiungete il pesce (1 kg e mezzo tra scorfano, grongo, coda di rospo, orata, qualche gambero ecc.). Condite con peperoncino, prezzemolo abbondante, sale e pepe. Lasciate insaporire, poi diluite con mezzo litro d'acqua bollente e portate a cottura a fuoco moderato.

Il vino consigliato

TREBBIANO d'ABRUZZO. Colore giallo paglierino; profumo vinoso, gradevole; sapore asciutto, sapido, armonico.

Fish soup of Abruzzo

Typical of Abruzzo, this soup is characterized by the red sweet pepper, that gives it a very particular taste. Fry lightly 2 chopped cloves of garlic in a pan with half a glass of oil; when the garlic is getting golden, add 4 tomatoes without seeds and 1 big red pepper finely cut. After some minutes, add the fish (about 1 kg and a half of scorpion-fish, conger eel, angler fish, gilt-head bream, some shrimps etc.). Season with chilli, abundant parsley, salt and pepper. Leave to flavour, then thin with half a litre of boiling water and let cook on a moderate flame.

Zuppa de pesce abbruzzese.

Sta zuppa è propiamende abbruzzese, è carattirizzata daju pependò rusciu dolce che ji dà n'aroma tuttu particolare.

A nu ticame de cocciu facete suffrigge a 1/2 picchier d'oiju, 2 spicchi d'aiju tritati: quandu l'aiju cumingerà a culorisse, mettetici endru 4 pumadore pelate senza semi e nu grossu pependò rusciu tajatu finu finu. Dopu quacche minutu, verzetici ju pesce (nu chilu e mezzu tra scorfinu, grongu, còa de ruspu, orata, quacche gambiru, ecc). Aggiungetici come cundimendu, nu pipiruncinu pizzicusu, parecchyu prezzemulu, sale e pepe: lascete assaporà, dapò allunghete co 1/2 litru de acqua bollente e portete a cuttura a focu lentu.

Maccheroni "alla chitarra"

Preparazione: impegnativa

Ingredienti: 500 g di farina di grano duro, 5 uova, sale, salsa di pomodoro, peperoncino, parmigiano, oppure ragù di manzo

Grado di difficoltà: complessa

Come ben sanno gli abruzzesi, il termine "chitarra" è dovuto al particolare utensile costituito da un telaio rettangolare in legno, nel quale, parallelamente ai lati più lunghi, sono tirati sottili fili di acciaio. Su di essi vi si stende la sfoglia di pasta che, pressata dal mattarello, sarà sezionata nei caratteristici maccheroni. Per la pasta, lavorate 500 g di farina di grano duro con 5 uova e un pizzico di sale. Quando avrete ottenuto una pasta ben omogenea e morbida, fatela riposare per circa mezz'ora. Fatene poi delle sfoglie rettangolari, delle dimensioni della "chitarra", procedete come indicato sopra e i "maccheroni" sono pronti. Lessateli in abbondante acqua salata e conditeli con salsa di pomodoro, peperoncino e abbondante parmigiano, oppure con ragù di carne di manzo.

Il vino consigliato

MONTEPULCIANO d'ABRUZZO. Colore rosso rubino vivo; profumo gradevole, vinoso; sapore asciutto, corposo, caldo, sapido.

Guitar style pasta

As people of Abruzzo know well, the word "guitar" refers to a special rectangular wooden board with wire strings stretched lengthwise. The sheet of dough, put on this board and pressed by the rolling-pin, turns out cut into the typical thin strips. To prepare the dough, mix together 500 g of flour of hard wheat, 5 eggs and a pinch of salt. When you have obtained a soft and homogeneous dough, leave it to rest for about 30 minutes. Then roll out some rectangular sheets of dough as big as the wooden board and go on as explained above to get the pasta. Boil it in abundant salted water, then season it with tomato sauce, chilli and abundant Parmesan cheese, or with a beef meat sauce.

Maccarū alla chitarra.

Pe potē fa ji maccarū "alla chitarra", questo j'abbruzzesi lo sanno, ci serve nu certu attrezzu formatu da nu telaru de legnu rettangolare, dove la quale, lungu i lati chiji lunghi, ci stanno tirati parecchi fili d'acciaru fini fini missi apparallelu. Sopra a quisti se spanne la sfoja de pasta che, primuta daju rutulu, fanno isci ji famusi maccarū "alla chitarra" secundu come ji volemu nū.

Pe potē fa la pasta ci 'onno 500 gr. de farina de granu duru co cinque ove e nu pizzichiju de sale. Quandu avete ampastatu ova e farina finu affalla diventā morbida morbida, fecetela ripusā pe quaci mezz'ora. Spianete co ju rutulu e fecete tante sfoje della dimenziō della =chitarra=, dapō fecete come so 'ittu sopre e ji maccarū so belli e prondi.

Allessetij a parecchia acqua salata e cunditij colla salsa de pumaora, pipiruncinu co parecchiju parmiggianu, sennō co ju ragū de ciccia de manzu.

Maccheroni "al rintrocilo"

Preparazione: impegnativa

Ingredienti: 500 g di farina, 5 uova, salsa di pomodoro, pecorino o parmigiano

Grado di difficoltà: complessa

Il "rintrocilo" è un particolare tipo di mattarello fornito di tacche. Facendolo rotolare sulla pasta, la seziona a strisce rettangolari. Questi maccheroni, comunque, sono diversi dai maccheroni "alla chitarra", in quanto la pasta, preparata con 500 g di farina e 5 uova, è spianata più spessa. Una volta lessati, conditeli con salsa di pomodoro e abbondante pecorino o parmigiano.

Il vino consigliato

CONTROGUERRA ROSSO. Colore rosso rubino intenso; profumo vinoso e caratteristico; sapore asciutto, armonico, vellutato, leggermente tannico.

"Rintrocilo" macaroni with tomato sauce

This pasta is obtained by rolling on the sheet of dough a special rolling-pin, called "rintrocilo", that cuts the sheet into rectangular strips. It differs from the guitar style pasta in the higher thickness of the dough, which is made with 500 g of flour and 5 eggs. After boiling the macaroni, season them with tomato sauce and abundant pecorino or Parmesan cheese.

Maccarū aju "rintrucilu".

Ju "rintrucilu" è nu rutulu speciale co le 'ntacche. Se ju fecete arrotolà sopre la pasta, fa tutte strice rettangolari. Sti maccarū comunque, non so come ji "maccarū alla chitarra", pecchē la pasta, preparata co 500 gr de farina e 5 ove, v'è spianata chijū paccuta.
Quandu ji sete allessati, cunditij co salsa de pumaora co parecchiu caciu picurinu o parmiggianu.

"Scripelle" al forno

Preparazione: impegnativa

Ingredienti: scripelle, ragù di salsiccia, pecorino, noce moscata, peperoncino in polvere

Grado di difficoltà: facile

Preparate le "scripelle" come indicato nella ricetta "scripelle 'mbusse", riempitele con ragù di salsiccia ben sminuzzata, pecorino, un pizzico di noce moscata e peperoncino in polvere. Disponete le "scripelle" in una larga teglia, condite con altro ragù e formaggio, quindi fatele cuocere in forno ben caldo

Il vino consigliato

CONTROGUERRA CABERNET. Colore rosso rubino pieno; profumo intenso, fine ed elegante; sapore secco, armonico, fragrante.

Baked pancakes

Prepare the pancakes as explained in the recipe "Scripelle 'mbusse", fill them with pecorino cheese, a pinch of nutmeg, powdered chilli and a sauce made with chopped sausage. Arrange the pancakes in a wide baking-pan, season with some more sausage sauce and cheese, then cook in a hot oven.

Scrippelle aju furnu.

Preparete le =scrippelle= come spiecatu nella ricetta =scrippelle 'mbusse=, rempietele co ju ragù de sauciccia triturata, formaggiu picurinu, nu pizzicu de noce moscata e pipirunciu in polvere pizzicusu. Mettete tutte le scrippelle a na patella bella larga, condete cu atru ragù e formaggiu, de= pò facetele coce a nu furnu callu.

Maccheroni con mozzarella

Preparazione: impegnativa

Ingredienti: 700 g di maccheroni alla chitarra, olio, 50 g di pancetta coppata, 8 pomodori pelati, ½ peperoncino, sale, pepe, 150 g di mozzarella, parmigiano

Grado di difficoltà: complessa

Preparate 700 g di maccheroni alla chitarra. In un tegame fate soffriggere, in poco olio, 50 g di pancetta coppata, tagliata a dadini. Quando la pancetta avrà preso colore, unite 8 pomodori pelati tagliuzzati, mezzo peperoncino, sale e pepe. Lasciate cuocere a fuoco moderato. Lessate i maccheroni, scolateli al dente, conditeli, nell'ordine, con 150 g di mozzarella tagliata a dadini, parmigiano e infine con la salsa preparata. Questi maccheroni devono essere serviti caldissimi, in modo che la mozzarella "fili".

Il vino consigliato

TREBBIANO d'ABRUZZO. Colore giallo paglierino; profumo vinoso, gradevole; sapore asciutto, sapido, armonico.

Macaroni with "mozzarella" cheese

Prepare 700 g of guitar style pasta. Fry lightly 50 g of diced bacon in a pan with little oil. When the bacon takes a nice colour, add 8 chopped tomatoes, half a chilli, salt and pepper. Leave to cook on a moderate flame. Boil the pasta until chewy but firm, drain it and season it, in the following order, with 150 g of diced mozzarella cheese, Parmesan and the prepared sauce. Serve very hot so that the mozzarella melts stretching into threads.

Maccarù co la scamorza.

Preparete 700 gr. de maccarù alla chitarra.
A nu ticame fecete suffrigge a pocu oiju, 50 gr. de pancetta tajiata come tanti dati.
Quanolu la pancetta s'è colorata, mettetici 8 pumaore pelate e tajate a pizzitti, 1/2 pepirun-cinu, sale e pepe.
Facete coce a focu lentu. Allessete ji maccarù e scoleteji a dente, dapò si cundisceno co 150 gr. de scamorza tajata a daducci, parmiggianu e sal-sa preparata.
I maccarù tengheno esse sirviti bollendi in modo che la mozzarella si «sfila».

Sformato di "scripelle"

Preparazione: rapida

Ingredienti: scripelle, olio, 50 g di grasso di prosciutto, 500 g di carne di manzo, 5 pomodori pelati, sale, pepe, pecorino, peperoncino in polvere

Grado di difficoltà: facile

Nel friggere le "scripelle" fate in modo che esse siano dello stesso diametro di una teglia da forno adatta per un timballo. Preparate la salsa nel modo seguente: fate dorare in due cucchiai d'olio 50 g di grasso di prosciutto tagliato a piccoli dadi. Unite un trito di carne di manzo (circa 500 g) e, a carne rosolata, 5 pomodori pelati e tagliuzzati. Salate, pepate e lasciate cuocere a fuoco basso. Nella teglia, ben oleata, alternate le "scripelle" con la salsa, aggiungendo del pecorino grattugiato e del peperoncino in polvere. Terminate con uno strato di salsa e infornate per 15 minuti, in forno moderatamente caldo.

Il vino consigliato

MONTEPULCIANO d'ABRUZZO CERASUOLO. Colore rosso ciliegia; profumo vinoso, gradevole, fruttato; sapore secco, morbido, armonico.

Pancakes pie

When you fry the pancakes, take care that they turn out as big in diameter as a baking-pan suited for cooking pies. Prepare the sauce as follows. Fry 50 g of diced ham fat in 2 tablespoons of oil until golden. Add minced beef (about 500 g) and, after the meat has fried lightly, 5 chopped tomatoes. Add salt and pepper, then leave to cook on a low flame. Arrange the pancakes in a well greased baking-pan alternating them with the sauce enriched with grated pecorino cheese and powdered chilli. Finish with a layer of sauce and bake for 15 minutes in a medium hot oven.

Sformatu de scrippelle.

Quandu sfriggete le "scrippelle" fecete in modu che esse ve venghenо sempre deju stessu diametru de na patella da fornu bona pe nu timballu.

Preparete la salsa cuscinda: fecete dorà a 2 cucchiarini d'oiju 50 gr. de rassu di pruciuttu tajatu a picchili daducci. Mettete a nu tritu de carni de manzu (circa 500 gr.), a carne arroso=lata, 5 pumaore pelate e tajate.

Salete, pepete e lascete coce a focu lentu.

Alla patella da timballu ben oijata, mettete via via le scrippelle co la salsa, aggiungedoci for=maggio picurinu rattatu e pipirumcinu in polve=re. Finitu tuttu, mettete ancora nu stratu de salsa e 'nfornate pe 15 minuti co ju furnu mo=deratamente callu.

"Scripelle" alla besciamella

Preparazione: impegnativa

Ingredienti: 10 scripelle, 60 g di burro, 50 g di farina, ½ litro di latte, noce moscata, sale, pepe, olio, 50 g di pancetta coppata, ½ cipolla, 150 g di tritato di manzo, timo, alloro, 50 g di concentrato di pomodoro, parmigiano

Grado di difficoltà: complessa

È uno sformato più ricco del precedente. Preparate "scripelle" di diametro uguale alla teglia da forno (ne occorreranno dieci). Fate adesso una besciamella non molto densa con 60 g di burro, 50 g di farina, mezzo litro di latte, noce moscata, sale e pepe. In un tegame fate soffriggere in mezzo bicchiere d'olio 50 g di pancetta coppata tagliata a dadini e mezza cipolla finemente affettata. Appena la cipolla acquisterà trasparenza, unite 150 g di tritato di manzo. Quando la carne si sarà insaporita, aggiungete un pizzico di timo, una foglia di alloro e 50 g di concentrato di pomodoro. Salate, pepate, diluite con un bicchiere d'acqua calda o di brodo e lasciate cuocere. A salsa cotta (dovrà essere piuttosto densa), unite la besciamella e mescolate bene a fuoco bassissimo. Nella teglia da forno, bene oleata, alternate le "scripelle" con la salsa arricchita da abbondante parmigiano grattugiato. Terminate con uno strato di salsa e infornate per 15 minuti.

Il vino consigliato

CONTROGUERRA CILIEGIOLO. Colore rosato tendente al cerasuolo; profumo gradevole, tipico; sapore asciutto e armonico.

Pancakes with béchamel

It is a richer pie than the previous one. Prepare some pancakes as big in diameter as the baking-pan (you need 10 pancakes). Then prepare a béchamel sauce, not too thick, with 60 g of butter, 50 g of flour, half a litre of milk, nutmeg, salt and pepper. Fry lightly 50 g of diced bacon and half an onion finely sliced in a pan with half a glass of oil. As soon as the onion becomes transparent, add 150 g of minced beef. Leave the meat to take flavour, then add a pinch of thyme, 1 bay leaf and 50 g of tomato puree. Add salt and pepper, thin with 1 glass of hot water or broth and leave to cook. When the sauce is done (it should prove rather thick), add the béchamel and mix well on a very low flame. In a well greased baking-pan alternate the pancakes with the sauce enriched with abundant grated Parmesan cheese. Finish with a layer of sauce and bake for 15 minutes.

Scrippelle alla besciamella.

È nu sformatu riccu e sostanziosu. Preparete scrippelle, di diametru uguale alla patella da furnu (ce ne servene dieci). Fecete na besciamella non tandu densa co 60 gr. di burru, 50 gr. de farina, 1/2 litru de latte, noce moscata, pepe e sale.
A nu ticame de cocciu, fecete suffrigge a mezzu picchieru d'oiju 50 gr. de pancetta coppata, tajata a daducci e 1/2 cipolla tajata fina fina.
Appena la cipolla divenda trasparende, aggiungetici 150 gr. de manzu tritatu. Quandu la carne s'è assaporata, aggiungetici nu pizzicu di timo, na foja d'alloru e 50 gr. de concendratu de pumaore. Salete, pepete, allunghete co nu picchieru de acqua calla o de brodu e lascete coce.
A salsa cotta, (tea esse chiuttostu ritirata) mettetici la besciamella e mischiete a focu lentu.
Nella patella da fornu bene ojata, alternete le scrippelle co la salsa e abbondande parmiggianu 'rattatu. Finitu tuttu, ci mettete sopre nu stratu de salsa e se renforna tuttu pe n'atre 15 minuti.

Ravioli d'Abruzzo

Preparazione: impegnativa

Ingredienti: 500 g di farina, 6 uova, 1 kg di ricotta, sale, noce moscata, ragù di carne o salsa di pomodoro, formaggio grattugiato

Grado di difficoltà: complessa

Con 500 g di farina, 4 uova e un pizzico di sale, preparate una pasta piuttosto morbida. Avvolgetela in un tovagliolo e lasciatela riposare per mezz'ora. Nel frattempo lavorate la ricotta (ne occorrerà circa 1 kg) con 2 uova, un pizzico di sale e uno di noce moscata. Quando avrete ottenuto un impasto omogeneo e senza grumi, stendete la pasta e, in metà della sfoglia, opportunamente distanziati, versate col cucchiaio piccole porzioni di ricotta. Ripiegate sui mucchietti l'altra metà della pasta, premendo bene con le dita tutt'attorno ai mucchietti di ripieno, in modo che la pasta si saldi bene. Poi separate i raviolini con l'apposita rotella e fateli cuocere in abbondante acqua salata. Conditeli con ragù di carne o anche con semplice salsa di pomodoro, terminando, in ambedue i casi, con abbondante formaggio grattugiato.

Il vino consigliato

CONTROGUERRA ROSSO. Colore rosso rubino intenso; profumo vinoso e caratteristico; sapore asciutto, armonico, vellutato, leggermente tannico.

"Ravioli" of Abruzzo

Prepare a rather soft dough with 500 g of flour, 4 eggs and a pinch of salt. Wrap it in a clean towel and leave it to rest for 30 minutes. In the meanwhile, knead the ricotta cheese (about 1 kg) with 2 eggs, 1 pinch of salt and 1 pinch of nutmeg. When you get a homogeneous mixture without lumps, roll out the dough and put tablespoons of the ricotta mixture, not too close together, on half sheet of dough. Fold the empty half sheet of dough over, press with your fingers round the mounds of filling so as to seal the dough. Then cut out the "ravioli" with the proper pastry wheel and cook them in abundant salted water. Season them with meat sauce or tomato sauce, and abundant grated cheese.

Ravioli d'Abbruzzu.

Co 500 gr. de farina, 4 uove e nu pizzicu de sale, preparete na pasta ammassata chiuttostu morbida. Avvotetela a nu pannu biancu e lascetela ripusà pe 1/2 ora. Aju stessu tempu pijete la ricotta e lavoretela (ce ne serve circa nu chilu) co 2 ove, nu pizzicu de noce moscata e sale.
Quandu sete ottinutu nu 'mbastu combattu e senza gnocchi, stennete la pasta co ju rutulu in modu da ottenè na sfoja. A metà de na sfoja, a na distanza raggionevole, cuscinda distanziati, ci mettete tutti cuchiarini di ricotta come tandi mucchitti. Mettete sopra sti mucchitti j'atru pezzu della sfoja, premete colle dita, 'nturnu aji mucchitti di ripiinu, in modu che la pasta sappiccica e se sarda. Dapò separete ji ravioli unu pe unu co na rotella zigrinata e fecetiji coce all'acqua salata abbondande.
Se ponno cundì co ju ragù de ciccia, uppure co na semplice salsa di pumaore, aggiungendoci a tutti eddù ji casi, abbondante formaggiu 'rattatu.

Ravioli verdi

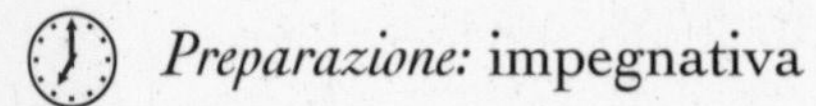

Preparazione: impegnativa

Ingredienti: 500 g di farina, 6 uova, sale, 1 kg di ricotta, 350 g di spinaci, ragù o salsa di pomodoro o brodo di carne

Grado di difficoltà: complessa

Il procedimento è del tutto simile alla ricetta precedente, solo che lavorerete la ricotta con 350 g di spinaci lessati, ben spremuti e tritati. Potete servirli asciutti, con ragù o salsa di pomodoro, oppure con un leggero brodo di carne.

Il vino consigliato

MONTEPULCIANO d'ABRUZZO. Colore rosso rubino vivo; profumo gradevole, vinoso; sapore asciutto, corposo, caldo, sapido.

Green "ravioli"

The procedure is quite similar to the one of the previous recipe, you have only to enrich the ricotta with 350 g of spinach, boiled, squeezed and chopped. You can serve them with meat or tomato sauce, or in a light meat broth.

Ravioli verdi:

Ju prucidimendu è uguale alla ricetta pre=
cetende, solu che se tea lavorà la ricotta co 350 gr.
di spinaci allessati, sprimuti e tritati.
Se ponn o sirvi asciutti co ragù o salsa de
pumaore, uppure co nu leggeru brodu de carni.

"Scripelle" con spinaci

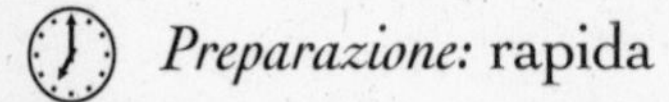

Preparazione: rapida

Ingredienti: scripelle, spinaci, burro, parmigiano, salsa di pomodoro

Grado di difficoltà: facile

Potete riempire le "scripelle" con spinaci lessati, saltati nel burro e conditi con abbondante parmigiano. Disponetele in una teglia da forno, completate con uno strato di salsa di pomodoro piuttosto densa e infornate per 15 minuti.

Il vino consigliato

TREBBIANO d'ABRUZZO. Colore giallo paglierino; profumo vinoso, gradevole; sapore asciutto, sapido, armonico.

Pancakes with spinach

You can fill the pancakes with spinach, previously boiled, heated in butter and seasoned with abundant Parmesan cheese. Arrange them in a baking-pan, cover the top with a layer of a rather thick tomato sauce and bake for 15 minutes.

Scrippelle co spinaci.

Potete rimbii le =scrippelle= co spinaci allessati, saltati allo burru e cunditi cu parecchiu parmiggianu. Mettete tuttu a na patella da furnu, sicci mette sopre nu bellu stratu de salsa de pumaora chiuttostu densa e ritirata e se renforna pe nu 1/4 d'ora.

Carni, Pollame e Selvaggina

Agnello brucialingua

Preparazione: impegnativa

Ingredienti: 1,5 kg di agnello, farina, peperoncino, 2 spicchi d'aglio, rosmarino, sale, 1 bicchiere di vino bianco secco

Grado di difficoltà: facile

Fate marinare 1 kg e mezzo di agnello a pezzi. Togliete poi i pezzi dalla marinata, asciugateli, passateli nella farina e fateli friggere in padella insieme ad alcuni pezzetti di peperoncino, 2 spicchi d'aglio e rosmarino. Aggiustate di sale e, a cottura ultimata, versate sull'agnello 1 bicchiere di vino bianco secco, che lascerete evaporare a fuoco vivo. Servitelo caldissimo.

Il vino consigliato

CONTROGUERRA ROSSO. Colore rosso rubino intenso; profumo vinoso e caratteristico; sapore asciutto, armonico, vellutato, leggermente tannico.

"Tongue-burning" lamb

Leave 1 kg and a half of lamb cut into pieces to marinate. Remove the lamb from the marinade, let it dry, then flour and fry it in a frying pan with pieces of chilli, 2 cloves of garlic and rosemary. Check the salt, then, when done, add 1 glass of dry white wine, which must evaporate on a high flame. Serve very hot.

Agneju brucialengua.

Fecete =marinà= Kg. 1,500 di agneju a perzi, come 'ittu alla ricetta di prima.
Levete ji perzi dapò dalla =marinara=, asciuchetiji, passeteji alla farina e feceteji frigge a na patella assieme a pizzitti di pipirunci=nu, 2 spicchi d'aiju e rosmarinu. Metteteci lo sale quantu abbasta e, a cuttura finita, versete sopre j'agneju, nu picchieru di vinu biancu siccu che se tea 'vaporà a focu violendu.
Va sirvitu parecchju callo co nu rubbustu =Sangiovese=.

Agnello e peperoni

Preparazione: impegnativa

Ingredienti: 1,3 kg di agnello, farina, olio, 2 spicchi d'aglio, 1 bicchiere di vino bianco, alloro, rosmarino, sale, peperoncino, 5 pomodori pelati, 2 peperoni dolci

Grado di difficoltà: facile

Tagliate a pezzi 1 kg e 300 g di agnello, infarinatelo e fatelo rosolare in olio con 2 spicchi d'aglio. Travasate il tutto in un tegame e, a fuoco vivo, fatevi evaporare 1 bicchiere di vino bianco. Poi aggiungete 1 foglia d'alloro, rosmarino, sale e peperoncino tritato, quindi 5 pomodori pelati senza semi e tagliuzzati, insieme a 2 peperoni dolci tagliati a listarelle sottili. Coprite il tegame e portate a cottura, mescolando spesso e aggiungendo, se occorre, qualche cucchiaio di brodo.

Il vino consigliato

CONTROGUERRA NOVELLO. Colore rosso rubino intenso; profumo intenso, vinoso, caratteristico; sapore asciutto, leggermente tannico.

Lamb and peppers

Cut 1 kg and 300 g of lamb into pieces and fry it lightly in oil with 2 cloves of garlic. Transfer the lot in a pan and pour in 1 glass of white wine letting it evaporate on a high flame. Then add 1 bay leaf, rosemary, salt, pepper, chilli, 5 peeled tomatoes, without seeds and chopped, and 2 sweet peppers cut into thin strips. Cover the pan and allow to cook, mixing frequently and, if necessary, adding some tablespoons of broth.

Agneju e pependū.

Tajete a pezzi nu chilu e 300 gr. de agneju, 'nfarineteju e feceteju arrosolà co l'aiju e dù spic=chi d'aiju. Mettete tuttu a nu ticame de cocciu, a focu vivu, faceteci 'vaporà nu picchieru di vinu biancu. Dapò aggiungetici na foja d'alloru, rosma=rinu, sale e pipiruncinu tritatu pizzicusu, 5 pu=maore pelate senza semi fatte a pizzitti, aggiun=getici ancora 2 pependū dolci tajati a fittine fi=ne fine. Caprete ju ticame e fecete coce finu a cut=tura e tratandu tenete ammischià e, se ci serve, aggiungetici quacche cucchiara de brodu de callina.

Stufato di capra

Preparazione: impegnativa

Ingredienti: 1,3 kg di coscia di capra, olio, cipolla, 3 pomodori pelati o conserva, 2 peperoni, peperoncino, rosmarino, sale, pepe, brodo

Grado di difficoltà: complessa

Da una coscia di capra giovane, ricavate 1 kg e 300 g di polpa, che taglierete a pezzi. Fate bollire 2 litri d'acqua e sbollentatevi la carne per circa 15 minuti, per toglervi quel soverchio sapore di selvatico che disturberebbe. Scolatela bene, asciugatela e fatela rosolare in un battuto di olio e cipolla. Quando avrà preso colore, unite 3 pomodori pelati (o un po' di conserva diluita in acqua calda), 2 peperoni tagliati a listarelle, un buon pizzico di peperoncino, rosmarino, sale e pepe. Diluite con una tazza di brodo, coprite il tegame e portate a cottura. Per accompagnare questo piatto, offrite del Montepulciano robusto di Fontecchio o di Ortona.

Il vino consigliato

MONTEPULCIANO d'ABRUZZO. Colore rosso rubino vivo; profumo gradevole, vinoso; sapore asciutto, corposo, caldo, sapido.

Goat stew

Buy 1 kg and 300 g of lean meat cut from the thigh of a young goat and cut it into pieces. Boil 2 litres of water, then put the meat into for 15 minutes to remove its pungent taste that can be unpleasant. Drain and dry it carefully, then fry it lightly in oil and chopped onion. When it browns, add 3 tomatoes (or some tomato purée thinned in hot water), 2 peppers cut into strips, a pinch of chilli, rosemary, salt and pepper. Add 1 cup of broth, cover the pan and leave to cook. To accompany this dish, serve a strong "Montepulciano" wine of Fontecchio or Ortona.

Stufatu de crapa.

Da na coscia de crapa senza fijà, tirete fore Kg. 1 e 300 di ciccia che se tea tajà a pezzi. Fecete bullì 2 litri de acqua e pe 15 minuti la ciccia, cuscinda da ammorbidì ju sapore selvaggiu della crapa che pò fa vinì ju vatastommicu. Scolete bonu bonu, asciuchete e fecetela arrosolà a nu battutu de oiju e cipolla. Quandu s'è colorata, aggiungetici 3 pumaore pelate (o na noce de conzerva allungata coll'acqua calla), 2 pipirù tajati a fittine, nu pizzichiju de pipiruncinu, rosmarinu, sale e pepe. Allunghete tuttu co na tazzetta de brodu de callina, coprete ju ticame e portete a cotturà.

Pe accompagnà stu piattu ci vulirria nu bonu picchieru de Montepulcianu rubbustu de Fontecchiu o de Ortona.

Castrato scottadito

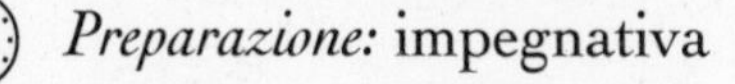

Preparazione: impegnativa

Ingredienti: 2 costate di castrato a persona, olio, aglio, peperoncino, rosmarino, 2 chiodi di garofano, sale, pepe in grani, ½ litro di vino rosso secco

Grado di difficoltà: facile

Calcolate 2 costate di castrato a persona. Mettete le costate a marinare, per almeno 2 ore, in olio, aglio, peperoncino, rosmarino, 2 chiodi di garofano, sale, pepe in grani e mezzo litro di vino rosso secco. Preparate la graticola e mettetevi le costate, irrorandole di tanto in tanto con il liquido della marinata. Vanno consumate subito, prelevandole dalla graticola, in modo che il grasso del castrato sia... digeribile.

Il vino consigliato

MONTEPULCIANO d'ABRUZZO COLLINE TERRAMANE.
Colore rosso rubino intenso; profumo tipico e intenso; sapore asciutto, pieno e robusto.

"Finger-burning" mutton

Calculate 2 mutton chops per person. Leave the chops to marinate for 2 hours at least in oil, garlic, rosemary, 2 cloves, salt, peppercorns and half a litre of dry red wine. Prepare a gridiron and grill the chops on it, moisten them sometimes with the marinade liquid. Eat them as soon as removed from the grill, so that the fat of the mutton is digestible.

Castratu scottajtu.

Se calcoleno 2 costate a perzò. Mettete le costate a "marinà" pe arr. ~ 2 ore, endru l'oiju, aiju, piperuncinu, rosmarinu, 2 chioj de carofenu, sale, pepe sanu e mezzu litru di vinu rusciu siccu.

Preparete na cratichela e mettetela sopre la carbonella e a focu normale, fecete arrustì le costate; ogni tandu schizzetici lo liquidu della marinara. Le costate appena cotte vanno cunzumate subbitu, pijendole direttamente dalla craticola, in modu che lo 'rassu deju castratu se pozza... ... diggirì. Stu castratu cottu cuscinda si usa specialmende quandu se fanno le scampagnate, la quale tea esse cottu all'aria aperta.

Castrato al ragù

Preparazione: impegnativa

Ingredienti: 1,5 kg di spalla di castrato, aglio, pancetta, sale, pepe, 1 cipolla, 2 carote, 1 costa di sedano, olio, alloro, rosmarino, 1 bicchierino di cognac, 100 g di concentrato di pomodoro, ½ peperone dolce, ½ peperoncino, brodo

Grado di difficoltà: complessa

Fatevi disossare una spalla di castrato in modo da ottenere all'incirca 1 kg e mezzo di polpa. Arrotolatela e fermatela con una rete di spago bianco sottile e resistente. Picchettate la carne con aglio e piccoli pezzi di pancetta passati nel sale e nel pepe. Tritate 1 cipolla, 2 carote, 1 costa di sedano. Fate rosolare in olio e aglio la carne e, quando avrà preso uniformemente il caratteristico colore bruno, aggiungete il trito insieme a una foglia d'alloro e del rosmarino. Fate insaporire a fuoco vivace, poi irrorate con 1 bicchierino di cognac. Quando il cognac si sarà ridotto di due terzi, unite 100 g di concentrato di pomodoro diluito in acqua tiepida, mezzo peperone dolce tagliuzzato e mezzo peperoncino tritato. Versate poi del brodo sino a coprire la carne, regolate il fuoco e portate a cottura, lentamente, a tegame semicoperto.

Il vino consigliato

MONTEPULCIANO d'ABRUZZO. Colore rosso rubino vivo; profumo gradevole, vinoso; sapore asciutto, corposo, caldo, sapido.

Mutton with ragout

Buy 1 kg and a half of boned mutton cut from the shoulder. Roll it up and tie it with a thin but strong white thread. The meat must then be studded with garlic and small pieces of bacon coated with salt and pepper. Chop 1 onion, 2 carrots, 1 stick of celery. Fry the meat in oil and garlic until browned, then add the chopped vegetables, 1 bay leaf and some rosemary. Leave to flavour on a high flame, then pour 1 small glass of cognac into. When it has nearly evaporated, add 100 g of tomato purée thinned with tepid water, half a chopped sweet pepper and half chopped chilli. Then cover the meat with broth, check the flame and allow to cook slowly, the pan half covered.

Castratu al ragù.

Fecete dissossà na bella spalla de castratu, cuscin=da da avè circa nu chilu e mezzu de ciccia sporpa=ta. Abbrudicchietela e attacchetela co nu filu biancu e risistende. Feceteci tandi bucitti picculitti e rempietiji d'aiju e tanti picchili pizzitti de pan=cetta salata e pepata quandu abbasta.

Tritete na cipolla, 2 carote, nu pizzittu de sellinu. Fecete anosolà tuttu all'aiju e a j'aiju; quandu essa ha pijatu nu culuritu scuru, aggiungetici ju tritu co na foja d'alloru e de rosmarinu. Fecete assaporà a focu violendu, dapò schizzetici nu picchieru de cognacche. Quandu dello cognacche ne so remasti quaci 2/3, mettetici 100 gr. de concendratu de pumaora allungata coll'acqua calla, 1/2 pipiruncinu dolce tajatu e 1/2 pipirun=cinu pizzicusu tritatu. Versete entru ju ticame tandu brodu finu a cuprì la carni, regolete ju fo=cu finu a portà a cuttura lendamende co ju tica=me nu pocu apertu.

Pure stu gustosu ragù tea esse sirvitu co nu vinu de gradazziò: cunzijemo ancora nu "Monte=pulciano" de Teramo o de Chieti.

Pollo alla Re Francesco II

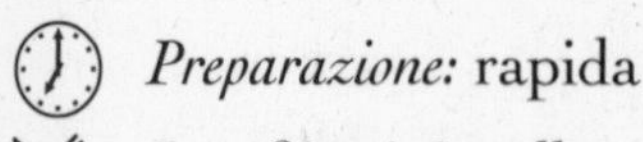

Preparazione: rapida

Ingredienti: 1 pollo, olio d'oliva, aglio, rosmarino, alloro, ½ peperoncino, sale, pepe, vino bianco, olive verdi, capperi, giardiniera

Grado di difficoltà: facile

Si narra che questo epigono della monarchia borbonica, nelle pause delle sue battute di caccia in Abruzzo, gradisse particolarmente questo piatto di pollo. Sembra, però, che a prepararglielo fosse una bella campagnola, sicché resta il sospetto che il sovrano esaltasse la pietanza per conquistare la cuoca. Tagliate a pezzi un bel pollo e soffriggetelo in olio d'oliva con un battuto d'aglio, rosmarino, 1 foglia di alloro, mezzo peperoncino, sale e pepe. Portatelo a cottura, irrorando di tanto in tanto il pollo con spruzzate di vino bianco e aggiungendo pezzetti di olive verdi, capperi e giardiniera.

Il vino consigliato

CONTROGUERRA PINOT NERO. Colore rosso rubino poco intenso; profumo intenso e tipico; sapore armonico, leggermente amarognolo.

Chicken, King Francesco II's way

It is said that this descendant of the Borboni Monarchy liked especially this dish while resting during the hunt in Abruzzo. It is also said that it was a nice young peasant girl to prepare it, so there is the doubt that the king praised the dish to conquer the girl. Cut a chicken into pieces and fry it lightly in olive oil with chopped garlic, rosemary, 1 bay leaf, half a chilli, salt and pepper. While cooking, sprinkle it with white wine and add pieces of green olives, capers and pickles.

Pollu aju Re Franciscu II

Se raccanda che stu Re 'ncapace de creà, della monarchia borbonica, tratandu che se repusea dalle battute de caccia all'Abbruz-zu, 'olea magnasse sempre stu piattu de pollu. Si 'ice pure che a preparaju tenesse esse na bella campagnola, la quale remane ju sospettu che ju saranu portesse 'ncielu la pietanza, pe potē conquistā la coca.
Tajete a pezzi nu bellu pollu ruspande e suffriggeteju all'aiju d'uliva co nu battu-tu d'aiju, rosmarinu, na foja d'alloru, ½ pipiruncinu, sale e pepe.
Portetelo a cuttura, schizzatici di tantu in tantu, na spruzzatina di vinu biancu, aggiungendoci pizzitti di uliva branche, cap-piri e pizzitti de giardiniera.

Pollo farcito con sottaceti

Preparazione: impegnativa

Ingredienti: 1 pollo, 300 g di fegatini di pollo, burro, peperoni e cipolle sottaceto, capperi, olive verdi, peperoncino, sale, pepe, olio

Grado di difficoltà: complessa

Rilevante in questa ricetta è il contrasto di sapori, che finiscono col raggiungere una loro armonia. Disossate il pollo, poi preparate una farcitura con 300 g di fegatini di pollo, fatti già saltare nel burro e tritati, peperoni e cipolle sottaceto tagliati a piccoli pezzi, capperi, olive verdi, un pizzico di peperoncino, sale e poco pepe. Riempite il pollo, ricucitelo e mettetelo in forno. Fatelo cuocere inumidendolo con un battuto di olio, sale e peperoncino in polvere.

Il vino consigliato

TREBBIANO d'ABRUZZO. Colore giallo paglierino; profumo vinoso, gradevole; sapore asciutto, sapido, armonico.

Chicken filled with pickles

The peculiarity of this recipe lies in the contrast of flavours that manage to harmonize pleasantly. Bone the chicken, then prepare a filling with 300 g of chicken livers, previously heated in butter and chopped, pickled peppers and onions cut into small pieces, capers, green olives, a pinch of chilli, salt and some pepper. Stuff the chicken, sew it up and cook it in the oven. Leave it to cook, seasoning it with a mixture of oil, salt and powdered chilli.

Pollu ripiinu co sottaciti:

A sta ricetta ci stanno nu condrastu de sapori, la quale finiscenno co amalgamasse pe divendà e raggiunge tutta na loro armonia.
Dissossete nu bellu pollu ruspande, dapò preparete nu miscuju co 300 gr. de fecatini de pollu fatti coce endru lu burru e tritati, pepirii e cipolle sottu acetu tajati a piccheli pezzi, cappiri, ulive bianche, nu pizzicu di pipiruncinu, sale e pocu pepe. Rempiete ju pollu, ricuceteju e metteteju aju furnu. Feceteju coce, schizzetici sopre nu battutu de oiju, sale e pipiruncinu in porvere.

Pollo in umido

Preparazione: impegnativa

Ingredienti: 1 pollo, farina, olio, aglio, cipolla, sedano, carote, 2 pomodori pelati, 1 peperone, 4 patate, sale, pepe, brodo

Grado di difficoltà: facile

Ricetta semplice ma assai gustosa. Tagliate a pezzi 1 pollo, infarinatelo e fatelo rosolare in olio aromatizzato all'aglio. Preparate un trito di cipolla, sedano e carote, che unirete al pollo dopo la rosolatura. Quando la carne si sarà insaporita, aggiungete 2 pomodori pelati tagliuzzati, 1 peperone tagliato a listarelle e 4 patate di media grandezza tagliate a cubetti. Salate e pepate, coprite il tegame e terminate la cottura a fuoco moderato, aggiungendo, se occorre, del brodo caldo.

Il vino consigliato

MONTEPULCIANO d'ABRUZZO CERASUOLO. Colore rosso ciliegia; profumo vinoso, gradevole, fruttato; sapore secco, morbido, armonico.

Stewed chicken

This is a simple but very tasty recipe. Cut 1 chicken into pieces, flour and fry it lightly in oil flavoured with garlic. Chop some carrots, onion and celery and add them to the chicken after it has fried lightly. When the meat is well flavoured, add 2 peeled and chopped tomatoes, 1 capsicum cut into strips and 4 medium-size diced potatoes. Add salt and pepper, then cover the pan and let cook on a moderate flame adding, if necessary, some hot broth.

Pollo in umidu.

Ricetta semplice ma parecchju gustosa. Tajete a pezzi ju pollu 'nfarineteju e fecete ju arrosolà all'aiju aromadizzatu all'aiju; preparete prima nu tritatu di cipolla, sellisu e carote che mischeete aju pollu, dopo l'arrosolatura. Quandu la ciccia s'è 'nsapurità, aggiungetici 2 pumaore pelate a pizzitti, nu pependò tajatu a strice e 4 patane, de na certa grossezza, fatte a daducci, sale e pepe. Recroprete ju ticame e facete finì la cuttura a foco lentu; aggiungetici, se ci serve, nu pocu de brodu callu.

Stu piattu tea esse sirvitu collo "cerasuolo" di Giulianova.

Coniglio in umido

Preparazione: impegnativa

Ingredienti: 2 kg di coniglio, olio, 1 spicchio d'aglio, cipolla, sedano, carote, rosmarino, $^1/_2$ peperoncino, sale, pepe, brodo di carne

Grado di difficoltà: complessa

Disossate 1 o 2 conigli per complessivi 2 kg, tagliateli a pezzi e fateli ben rosolare in olio aromatizzato con 1 spicchio d'aglio (che toglierete appena inizierà a imbiondire). Unite un trito di cipolla, sedano e carote, con alcuni rametti di rosmarino e mezzo peperoncino sminuzzato. Salate e pepate e, quando la carne si sarà insaporita, copritela con un leggero brodo di carne. Lasciate cuocere lentamente a tegame semicoperto, alzando il fuoco a fine cottura per addensare un poco la salsa, che vi potrà servire per condire la pasta.

Il vino consigliato

CONTROGUERRA CILIEGIOLO. Colore rosato tendente al cerasuolo; profumo gradevole, tipico; sapore asciutto e armonico.

Stewed rabbit

Bone 1 or 2 rabbits so as to have 2 kg of meat, cut them into pieces and fry them in oil flavoured with 1 clove of garlic (which has to be removed when it starts to golden). Add chopped onion, celery and carrots, some rosemary and half a chopped chilli. Salt and pepper and, when the meat is flavoured, cover it with light meat broth. Leave to cook slowly, the pan half covered; when the meat is nearly done, raise the heat to thicken the sauce, that can be used to season pasta dishes.

Coniju in umidu.

Dissossete unu o diu cuniji de quaci Kg 2, tajetij a pezzi e fecetij boni boni arrosolà all'aiju aromadizzatu co nu spicchiju d'aiju (che tenete leà non'appena cuminzgia a colorasse). Fecete nu tritatu di cipolla, sellïru e carote co quacche foja de rosmarinu e mezzu pipiruncinu sminuzzatu a pizzitti. Salete, pepete e, quandu la carni s'è assaporata, capretela co brodu leggeru di ciccia. Dapò lascete coce pianu pianu co ju ticame quaci copertu, alzete ju focu a fine cuttura peffà ritirà la salsa, che potrà sirvì pe cundì nu bellu piattu de spaghetti. Ju cuniju tea esse accompagnatu co "Cerasolo" secco.

"'Ndocca 'Ndocca"

Preparazione: impegnativa

Ingredienti: 1,5 kg di cotiche, piedini, orecchie e muso di maiale, rosmarino, alloro, 1/2 peperoncino, sale, 1 cucchiaio di concentrato di pomodoro o 3 pomodori pelati

Grado di difficoltà: complessa

È un piatto gustoso che appartiene alla tradizione gastronomica di Teramo. Occorrono cotiche, piedini, orecchie e muso di maiale, per complessivi 1 kg e mezzo. Tagliate tutto a pezzi e sbollentatelo per qualche minuto. Sgocciolate bene i pezzi di maiale e passateli in un tegame di coccio, insieme a qualche rametto di rosmarino, 1 foglia di alloro, mezzo peperoncino sminuzzato e sale. Coprite con abbondante acqua fredda e fate cuocere lentamente per almeno 3 ore e mezza. Aggiungete quindi 1 cucchiaio di concentrato di pomodoro o 3 pomodori pelati e continuate la cottura per un'altra mezz'ora. Servite caldissimo.

Il vino consigliato

MONTEPULCIANO d'ABRUZZO. Colore rosso rubino vivo; profumo gradevole, vinoso; sapore asciutto, corposo, caldo, sapido.

Pork in sauce

This tasty dish belongs to the gastronomic tradition of Teramo. You need enough pork rind, ears, snout and trotters of pig to reach a total weight of 1 kg and a half. Cut them into pieces and scald them for some minutes. Drain the meat carefully, then transfer it into a clay pan with some rosemary, 1 bay leaf, half a chopped chilli and salt. Cover the meat with abundant cold water and leave to cook slowly for 3 hours at least. Then add 1 tablespoon of tomato purée or 3 peeled tomatoes, and allow to cook for other 30 minutes. Serve very hot.

'Molocca 'ndocca.

È nu sapuritu piattu che vè dalla tradiziò gastronomica de Teramo.
Ci serveno cotiche, zampitti, 'recchie e muccu de porcu tandu da fanne nu chilu e mezzu.
Taijete tuttu a pizzitti e feceteij bullì pe quacche minutu. Scolete bonu bonu ji pezzi de porcu e mettetiji a nu ticame de terracotta assieme a quacche foja de rosmarinu, una de alloru, mezzu pipirunciu a pizzitti e sale.
Recoprete tuttu co acqua fredda e fecete coce lendamente pe almenu 3 ore e mezza.
Dapò aggiungete nu cucchiaru de concendratu de pumaora o 3 pumaore pelate e seguitete a ffà coce ancora pe n'atra mezz'ora.
Se passa callu callu

Agnello a “cutturo”

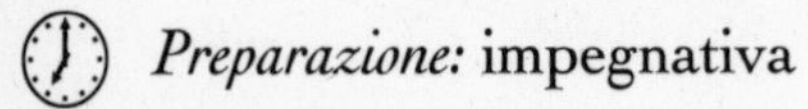

Preparazione: impegnativa

Ingredienti: agnello, 100 g di grasso di maiale, ½ peperoncino, salvia, alloro, sale, pepe

Grado di difficoltà: facile

Il “cutturo” è una pentola di rame con un pesante coperchio che la chiude ermeticamente. L’agnello vi cuoce nel suo grasso con l’aggiunta di pochissimi ingredienti. Tagliate l’agnello a pezzi e mettetelo in pentola con grasso di maiale tagliato a dadini (non più di 100 g), mezzo peperoncino, salvia, alloro, 1 bicchiere di acqua, sale e pepe. Mettetelo a cuocere a fuoco basso senza mai togliere il coperchio. Per rigirarlo prendete i due manici, tenendo fermo il coperchio, e fate “saltare” la carne all’interno. Occorrerà circa un’ora e mezza di cottura. Scoperchiate solo al momento di servire.

Il vino consigliato

MONTEPULCIANO d’ABRUZZO CERASUOLO. Colore rosso ciliegia; profumo vinoso, gradevole, fruttato; sapore secco, morbido, armonico.

Lamb casserole

This dish is prepared in a special copper pan closed by an air-tight lid. The lamb cooks in its own fat with the addition of few ingredients. Cut the lamb into pieces and put it in the pan with diced pork fat (no more than 100 g), half a chilli, sage, bay, 1 glass of water, salt and pepper. Leave it to cook on a low flame without removing the lid. To turn it over, take the pan's handles and, the lid still on, toss the pan to turn the meat inside. The cooking time is about 1 hour and a half. Remove the lid only before serving.

Agneju áju cutturu.

Ju "cutturu" è na cazzarola de rame co nu coperchiu pesande che la chiue ermedicamende.

J'agneju se coce collo grassu de issu stessu, dove la quale abbasta aggiungici quacche cosetta.

Se taja j'agneju a pezzi e se mette a na cazzarola aggiungendoci 100 gr. de grassu de porcu tajatu a cubbitti, mezzu pipiruncinu, salvia, alloro, nu picchiere de acqua, sale e pepe.

Metteteju a coce a focu lentu senza levà mai ju coperchiu. Pe poteju riggirà, si pija la cazzarola pe ji manichi, tener fermu ju coperchiu, e se fa sardà la carne direttamende endru la cazzarola. Ci serve un'ora e mezza circa pe poteju coce. Se po scoperchià la cazzarola aju momendu de sirvì.

Va accompagnatu co "Cerasolo" de Chieti.

PESCE

Triglie al cartoccio

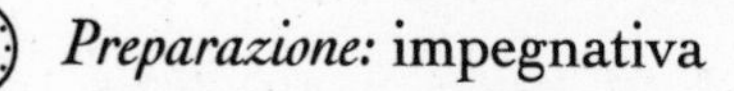

Preparazione: impegnativa

Ingredienti: 2 triglie per cartoccio, 1 spicchio d'aglio, prezzemolo o burro di acciuga, olio d'oliva, sale, pepe

Grado di difficoltà: complessa

In ogni cartoccio, racchiudete 2 triglie squamate, lavate e asciugate, 1 spicchio d'aglio, prezzemolo, qualche goccia di olio d'oliva, sale e pepe. Chiudete bene i cartocci e infornateli a una temperatura di circa 200 °C. Serviteli ancora chiusi. Potete variare il condimento spalmando le triglie con burro di acciuga. In questo caso, omettete il prezzemolo e il sale.

Il vino consigliato

CONTROGUERRA CHARDONNAY. Colore giallo paglierino poco intenso; profumo delicato, gradevole, tipico; sapore asciutto e armonico.

Red mullet in paper case

In each paper put 2 red mullets, scaled, washed and dried, with 1 clove of garlic, parsley, some drops of olive oil, salt and pepper. Close the papers well and bake them at a temperature of about 200 °C. Serve them still closed. You can diversify the seasoning by smearing the fish with anchovy butter. In this case don't add parsley and salt.

Trije aju scartocciu.

A ogni scartocciu de carta mettetici endru 2 trije scuamate, allavate e asciucate; si pija nu spicchiu d'aiju, prezzemulu, quacche goccetta de oiju d'uliva, sale e pepe.
Chiuete per bene ju scartocciu e 'forneteju a na temperatura di quaci 200°.
Ji scartocci se serveno senza upriji.
Si putirria varià ju cundimendu spar_mandolo sopre le trije, burru d'alice.
In questo casu, però, nun ci mettete nè prezzemulu e nè sale.

Polpi in tegame

Preparazione: impegnativa

Ingredienti: 1 kg di polipi maggiolini, 2 pomodori pelati, 2 spicchi d'aglio, 1 peperone, olio, sale, prezzemolo, peperoncino

Grado di difficoltà: facile

Per preparare questo piatto, occorre 1 kg di polipi maggiolini, piccoli e teneri. Lavateli e metteteli in un tegame di coccio con 2 pomodori pelati tagliuzzati, 2 spicchi d'aglio tritati, 1 peperone tagliato a listarelle sottilissime, olio, sale, abbondante prezzemolo e un pizzico di peperoncino. Mettete sul fuoco il tegame ben coperto e cuocete a fuoco moderato. Togliete il coperchio soltanto al momento di servire, così che i commensali possano apprezzare anche il profumo delicatissimo che si sprigiona dal tegame.

Il vino consigliato

CONTROGUERRA PASSERINA. Colore giallo paglierino con riflessi dorati; profumo delicato e tenue; sapore fresco e sapido.

Stewed octopus

To prepare this dish, buy 1 kg of small and tender spring octopuses. Wash and put them in a clay pan with 2 peeled and chopped tomatoes, 2 chopped cloves of garlic, 1 capsicum cut into thin strips, oil, salt, abundant parsley and a pinch of chilli. Put the pan on the flame with a lid on and leave to cook on a medium flame. Remove the lid only before serving so that everyone can appreciate also the delicate flavour rising from the pan.

Pulpi aju ticame.

Pe preparà stu piattu ci serveno nu chilu di pulpi maggiulini che tengheno esse picchili e tiniri. Allavetiji e mettetiji a nu ticame de cocciu co 2 pumaore pelate e tajate, 2 spicchi d'aiju tritati nu pependò tajatu a fittine sutti=li, oiju, sale, parecchiu prezzemulu e nu pizzicu di pipiruncinu pizzicusu. Mettete aju focu ju ticame che tea sta chiusu e facete coce pe 20 minuti a focu lentu. Ju coperchiu ju tenete levà aju momendu di sirvì, cuscinda ji cum=menzali ponno apprezzà pure ju prufumu dilicatu che esce daju ticame.

Insalata di polipetti

Preparazione: rapida

Ingredienti: polipi maggiolini, olio, limone, prezzemolo, sale, pepe

Grado di difficoltà: facile

I polipetti maggiolini potete servirli anche in insalata. Lavateli e lessateli. Tagliate a piccoli pezzi i tentacoli e le teste, disponeteli in un'insalatiera e conditeli con olio, limone, prezzemolo, sale e pepe. Lasciateli marinare per 15 minuti, date un'ultima rimescolata e servite.

Il vino consigliato

TREBBIANO d'ABRUZZO. Colore giallo paglierino; profumo vinoso, gradevole; sapore asciutto, sapido, armonico.

Little octopus salad

Little spring octopuses can be served also in salad. Wash and boil them. Cut tentacles and heads into small pieces, put them in a salad bowl and season them with oil, lemon juice, parsley, salt and pepper. Leave them to marinate for 15 minutes, mix again and serve.

'Nzalata di-pulipitti

Ji pulipitti "maggiulini" potete sirviji pu=
re coll'anzalata. Allavetiji e allessetiji. Da=
pò tajatè a picchili perzi ji tendaculi e le teste,
mettetiji a n'anzaliatera dopu aveji cundi=
ti co l'oiju, limò, prezzemulu, sale e pepe.
Lassètiji marinà pe 1/4 d'ora, dapò 'ete na
rimmischiata e sirvite.

Baccalà alla pizzaiola

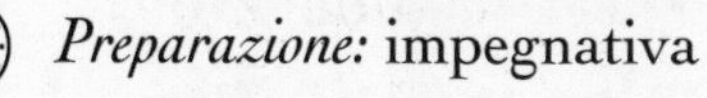

Preparazione: impegnativa

Ingredienti: 1,5 kg di baccalà, filetti di pomodori pelati, olio, origano, sale, pepe

Grado di difficoltà: facile

Tagliate a tranci 1 kg e mezzo di baccalà, come al solito dissalato e asciugato, ma non diliscato. Disponetelo in una teglia da forno e su ciascuna porzione mettete filetti di pomodori pelati privati dei semi. Condite con olio, origano, sale e pepe, e infornate a forno già caldo. Deve cuocere a fuoco moderato (180/190 °C).

Il vino consigliato

MONTEPULCIANO d'ABRUZZO CERASUOLO. Colore rosso ciliegia; profumo vinoso, gradevole, fruttato; sapore secco, morbido, armonico.

Salt codfish in tomato sauce

Slice 1 kg and a half of codfish, previously washed and dried as usual. Arrange it in a baking pan and put slices of tomato, peeled and without seeds, on each slice of codfish. Season with oil, marjoram, salt and pepper, and cook in a preheated oven. It must cook at a moderate heat (180/190 °C).

Baccalā alla pizzarola.

Tajete a pezzi nu chilu e mezzu de baccalā, che tea esse dissalatu e asciucatu, ma no diliscalatu. Mettetelo a na patella da furnu: su ciascuna porziō mettetici filitti di pomodoru pelati senza semi. Cundite tuttu co aju, uriganu, sale e pepe e mettetela aju furnu giā rescallatu. Se tea coce a focu moderatu (180°/190°).

Coda di rospo in padella

Preparazione: rapida

Ingredienti: 6 fette di coda di rospo, sale, pepe, olio, 2 spicchi d'aglio, peperoncino rosso, rosmarino

Grado di difficoltà: facile

Tagliate 6 fette spesse di coda di rospo, lavatele, asciugatele e cospargetele di sale e pepe. In una capace padella, fate riscaldare un bicchiere d'olio d'oliva con 2 spicchi di aglio, poi disponetevi il pesce insieme a piccoli pezzi di peperoncino rosso e rametti di rosmarino. Quando il pesce si sarà ben colorato da tutte e due le parti, toglietelo dalla padella. È un piatto molto piccante, che va offerto con vino Trebbiano ben freddo.

Il vino consigliato

TREBBIANO d'ABRUZZO. Colore giallo paglierino; profumo vinoso, gradevole; sapore asciutto, sapido, armonico.

Pan-roasted angler fish

Cut 6 thick slices of angler fish, wash and dry them, then sprinkle some salt and pepper. In a wide pan heat 1 glass of olive oil with 2 cloves of garlic, then put the fish in with small pieces of red chilli and rosemary. When both sides of the fish are golden, remove it from the pan. It is quite a piquant dish that must be served with very cold "Trebbiano" wine.

Còa de ruspu alla patella.

Tajete 6 fette paccute de còa de ruspu, allavetele, asciuchetele e spargetici sopre sale e pepe. A na patella capace, fecete rescallà nu picchiere de aiju d'uliva co 2 spicchi d'aiju; dapò mettete ju pesce assieme a picchili pizzitti di pipiruncinu ruscìu e fojette de rosmarinu. Levete ju pesce dalla patella quandu s'è coluritu sopre e sottu alle dù parti.
È naturarmende nu piattu parecchiju pizzicusu che tea esse sirvitu co vinu Trebbianu friddu.

Triglie ripiene

Preparazione: impegnativa

Ingredienti: 12 triglie, 100 g di pangrattato, 2 spicchi d'aglio, rosmarino, prezzemolo, olio, sale, pepe, 1 limone

Grado di difficoltà: complessa

Vi occorrono 12 belle triglie freschissime. Squamatele, lavatele, apritele dalla parte del ventre e diliscatele, senza togliere testa e coda. In una terrina lavorate 100 g di pangrattato con 2 spicchi d'aglio tritati, qualche rametto di rosmarino, prezzemolo, olio, sale e pepe. Con il composto riempite le triglie, ricomponetele e poggiatele una accanto all'altra sul fondo di un tegame ben oleato. Fate cuocere a fuoco vivo, trasferitele su un piatto di portata riscaldato, irroratele con il succo di 1 limone, cospargetele con altro prezzemolo e servitele caldissime.

Il vino consigliato

CONTROGUERRA BIANCO. Colore giallo paglierino; profumo gradevole e fruttato; sapore asciutto con lieve retrogusto amarognolo.

Stuffed red mullet

You need 12 fresh red mullets. Scale and wash them, then make a cut on the under side of each fish to bone it without removing head and tail. In a bowl mix 100 g of breadcrumbs with 2 chopped cloves of garlic, some rosemary, parsley, oil, salt and pepper. Stuff the fish with this filling, close them and put them in a single layer in a well greased pan. Leave to cook on a high flame, transfer them to a heated dish, squeeze 1 lemon onto, sprinkle some parsley and serve very hot.

Trije repiene.

Ci serveno 12 belle trije freche non appena pescate o quaci. Squametele, allavetele, apretele dalla parti della panza e dilescatele, senza levacci la coccia e la còa.
A na cazzarola de terra lavoretici 100 gr. de pane rattatu co 2 spicchi d'aiju tritatu, aggiungetici na foja de rosmarinu, prezzemolu, oiju, sale e pepe.
Raccapezzete tuttu e ci rempiete le trije, richiuetele e mettetele una vicina all'atra aju funnu di nu ticame bene oijatu.
Fecete coce a focu vivu, dapò mettetele a nu bellu piattu rescallatu, spremetici sopre nu limò e mettetici ancora dello prezzemulu sopre. Stu piattu va sirvitu callu callu.

Stoccafisso con patate

Preparazione: impegnativa

Ingredienti: 1 kg di stoccafisso, olio d'oliva, 600 g di patate, 1 peperone dolce, 3 pomodori pelati, 1 cipolla, ½ peperoncino, alloro, olio, sale, pepe

Grado di difficoltà: complessa

Per preparare questo piatto, occorrono 1 kg di stoccafisso già ammollato, 600 g di patate, 1 peperone dolce, 3 pomodori pelati, 1 cipolla, mezzo peperoncino, 2 foglie di alloro, olio, sale, pepe e 2 bicchieri d'acqua calda. Tagliate a tranci lo stoccafisso, infarinatelo appena e fatelo soffriggere in mezzo bicchiere d'olio d'oliva con la cipolla affettata sottile. Quando lo stoccafisso avrà preso colore, aggiungete il pomodoro tagliuzzato, il peperone ridotto a listarelle, l'alloro, il peperoncino, sale e pepe. Lasciate insaporire senza mescolare, quindi irrorate con l'acqua calda. Coprite il tegame e cuocete a fuoco basso per 2 ore circa. Tagliate a tocchetti le patate, unitele allo stoccafisso, aggiustate di sale e pepe, e completate la cottura. Servitelo caldo.

Il vino consigliato

TREBBIANO d'ABRUZZO. Colore giallo paglierino; profumo vinoso, gradevole; sapore asciutto, sapido, armonico.

Stockfish with potatoes

To prepare this dish, you need 1 kg of already soaked stockfish, 600 g of potatoes, 1 sweet pepper, 3 peeled tomatoes, 1 onion, half a chilli, 2 bay leaves, oil, salt, pepper and 2 glasses of hot water. Slice the stockfish, flour and fry it lightly in half a glass of olive oil with the onion finely sliced. When the fish takes on colour, add the chopped tomatoes, the pepper cut into strips, the bay, the chilli, salt and pepper. Leave to flavour without mixing, then pour the hot water into. Cover the pan and leave to cook on a low flame for about 2 hours. Cut the potatoes into cubes, add them to the fish, check salt and pepper and leave to cook until done. Serve hot.

Stoccafissu o baccalà co patane.

Pe preparà stu piattu ci servenо: nu chilu de stoccafissu già ammollatu, 600 gr. de patane nostrane, nu pependò dolce, 3 pumaore pelate, na cipolla, 1/2 pipiruncinu pizzicusu, 2 foje d'alloru, oiju, pepe, sale e 2 picchieri de acqua calla.
Tajete a pezzi ju stoccafissu, 'nfarineteju appena appena e feceteju suffrigge a 1/2 picchieru d'oiju d'uliva co la cipolla affettata suttile. Quandu ju stoccafissu ha pijatu colore, aggiungetici na pumaora pelata, senza seme a pizzitti nu pependò tajatu a stricette, l'alloru, nu pipiruncinu pizzicusu, sale e pepe. Lasciapete 'nsaporà senza ammischià gnende, dapò schizzetici nu pocu de acqua calla. Coprete ju ticame e cocete a focu bassu pe 2 ore circa o pressappocu. Tajete a tucchitti le patane, mettetele co ju stoccafissu aggiustetele co sale e pepe e fecete finì la cuttura.
Stu piattu va sirvitu callu.

Stoccafisso all'uso di Teramo

Preparazione: rapida

Ingredienti: 1,2 kg di stoccafisso, olio, 2 spicchi d'aglio, 3 pomodori pelati, 2 peperoni dolci, peperoncino, sale, pepe

Grado di difficoltà: facile

Acquistate 1 kg e 200 g di stoccafisso già ammollato. Dategli un'ultima risciacquata, asciugatelo, tagliatelo a porzioni e soffriggetelo in mezzo bicchiere d'olio con 2 spicchi di aglio tritati. Quando lo stoccafisso avrà preso colore da tutte le parti (state bene attenti a girarlo con delicatezza), unite 3 pomodori pelati e tagliuzzati, 2 grossi peperoni dolci ridotti a listarelle sottili, un buon pizzico di peperoncino, sale e pepe. Coprite il tegame e portate a cottura a fuoco schermato e moderato, aggiungendo, se occorre, qualche cucchiaio d'acqua calda.

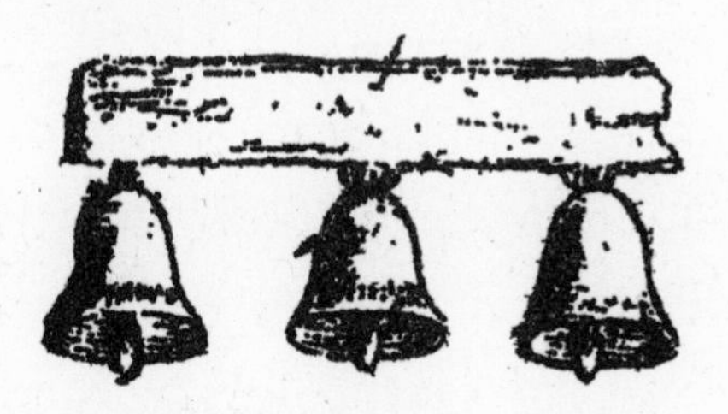

Il vino consigliato

MONTEPULCIANO d'ABRUZZO CERASUOLO. Colore rosso ciliegia; profumo vinoso, gradevole, fruttato; sapore secco, morbido, armonico.

Stockfish, Teramo style

Buy 1 kg and 200 g of already soaked stockfish. Rinse it again, dry and cut it into pieces, then fry it in half a glass of oil with 2 chopped cloves of garlic. When all sides of the fish take on colour (take care to turn it over gently) add 3 peeled and chopped tomatoes, 2 big sweet peppers, cut into thin strips, a good pinch of chilli, salt and pepper. Cover the pan and leave to cook on a shielded and moderate flame; if necessary, add some hot water.

Stoccafissu o baccalà alla teramana.

Comprete nu chilu e 200 de stoccafissu già ammollatu. 'Steji n'atra asciacquata, tajeteju a puezziò grossette e suffriggeteju a mezzu picchieru de oiju co 2 spicchi d'aiju tritatu.
Quandu ju stoccafissu ha pijatu colore da tutte le parti (tea esse giratu co parecchia dilicatezza), aggiungetici 3 pumaore pelate e tajate a pizzitti, 2 grossi pipindu dolci riddotti a listelli suttili, nu pizzicu di pipiruncinu pizzicusu, sale e pepe.
Coprete ju ticame e portete a cuttura a focu lentu e moderatu, aggiungenduci, se ci serve, quacche cucchiara de acqua calla.

Baccalà all'aquilana

Preparazione: impegnativa

Ingredienti: 1 kg di baccalà, 800 g di sedano, olio d'oliva, 1 cipolla, 5 pomodori pelati, sale, pepe, 50 g di uvetta sultanina, 30 g di pinoli, 100 g di olive nere dolci

Grado di difficoltà: complessa

Elemento fondamentale di questo piatto è il famoso sedano che si produce nell'aquilano. Acquistatene la quantità necessaria per ottenerne, al netto, 800 g, pulitelo accuratamente, tagliatelo a pezzi e lessatelo, togliendolo a metà cottura. In un tegame capace, soffriggete in mezzo bicchiere d'olio d'oliva 1 grossa cipolla finemente affettata e, appena sarà trasparente, unitevi 5 pomodori pelati e senza semi. Cuocete per una decina di minuti, poi aggiungete i tranci di baccalà diliscato (ne occorre 1 kg circa). Lasciate insaporire bene, salate, pepate e poi versate il sedano, 50 g di uvetta sultanina fatta rinvenire in acqua tiepida, 30 g di pinoli e 100 g di olive nere dolci. Coprite il tegame, lasciando una piccola fessura, e portate a cottura. Si serve caldo, ma è buono anche freddo.

Il vino consigliato

CONTROGUERRA CHARDONNAY. Colore giallo paglierino poco intenso; profumo delicato, gradevole, tipico; sapore asciutto e armonico.

Salt codfish, L'Aquila style

Basic ingredient of this dish is the well-known celery produced in the district of L'Aquila. Buy enough celery to obtain a net weight of 800 g, clean it carefully, then cut it into pieces and boil it until half cooked. Fry lightly 1 big onion finely sliced in a wide pan with half a glass of olive oil; when transparent, add 5 peeled tomatoes without seeds. Let cook for about 10 minutes, then add slices of boned salt codfish (about 1 kg). Leave to flavour, salt, pepper, then add the celery, 50 g of raisins softened in tepid water, 30 g of pine nuts and 100 g of sweet black olives. Cover the pan but not completely and leave to cook. It should be served hot, but it is good also cold.

Baccalà all'aquilana.

Come è facile capì j'elemendu fondamendale de stu piattu è ju famosu selleru che se produce propiu all'Aquila, alla Riera, a certe terre co ju cungime naturale che ci arria abbizzeffe dalle fogne cittatine; nau saccio se me so spiecatu.

Abbemicundi competene standu quandu abbasta peffà 800 gr. de sellini netti, pulizzetiji bonu bonu, tajetiji a pizzitti e dapò allessetiji e levetiji a metà cuttura.

Pijete nu ticame chiuttostu capace, suffriggete a mezzu picchiere d'oiju d'uliva na grossa cipolla ridotta a fittine la quale appena divenda trasparende, mettetici 5 pumaore pelate senza i semi. Dopu avè cottu pe na dicina di minuti, aggiungetici ju baccalà che tea esse senza spine (ce ne serve circa nu chilu). Lascete assaporaju bonu bonu co sale e pepe, dapò ci mettete endru ju selleru, 50 gr. de uvetta dolce fatta rinvirdì all'acqua tiepita (se è fore staggiò), 30 gr. di pindi e 100 gr. de ulive nere dolci. Recoprete ju ticame, lascetici na picchela apirtura pe faju refiatà e portete tuttu a cuttura. Se serve callu, ma è bonu pure fridolu.

Seppie ripiene

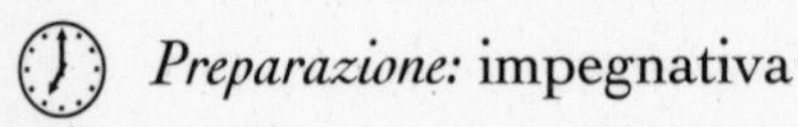

Preparazione: impegnativa

Ingredienti: 12 seppie, pangrattato, 3 filetti d'acciuga, 2 spicchi d'aglio, capperi, olio, sale, pepe, prezzemolo, 1 bicchiere di vino bianco secco, brodo di carne

Grado di difficoltà: complessa

Occorrono 12 seppie di media grandezza, alle quali toglierete le caratteristiche ossa e staccherete la testa dalla sacca. Lavatele accuratamente e asciugatele. Tritate le teste, che lavorerete in una terrina con pangrattato, 3 filetti d'acciuga salati e tritati, 2 spicchi d'aglio affettati finemente, un pugno di capperi, olio, sale, pepe e prezzemolo. Con il composto riempite le sacche, che chiuderete con uno stuzzicadenti. Disponete le sacche sul fondo di un tegame senza sovrapporle, irroratele con poco olio e, quando accenneranno a friggere, con 1 bicchiere di vino bianco secco. Lasciate evaporare il vino, quindi coprite le sacche con acqua bollente o con un leggero brodo di carne. Portate a cottura a fuoco moderato e servite con il brodo di cottura.

Il vino consigliato

TREBBIANO d'ABRUZZO. Colore giallo paglierino; profumo vinoso, gradevole; sapore asciutto, sapido, armonico.

Stuffed cuttlefish

You need 12 medium-size cuttlefishes, which you must remove the bones and the head from. Wash and dry them carefully. Chop the heads and knead them in a bowl with breadcrumbs, 3 chopped fillets of salted anchovy, 2 cloves of garlic finely sliced, 1 fistful of capers, oil, salt, pepper and parsley. Stuff the sacs with this filling and close them with a toothpick. Arrange them in a single layer in a pan, pour little oil onto and, when they are going to fry, 1 glass of dry white wine. Leave the wine to evaporate, then cover the sacs with boiling water. Leave to cook on a medium flame and serve with the cooking broth.

Seppie repiene.

Ci serveno lo stesso 12 seppie non tandu grosse, cuscinda medie, levetici l'ossa e stacchete la testa dalla sacca. Allavetele co nu pocu di cura e asciuchetele. Mentre tajete, tritete le teste e mettetele endru nu ticame de cocciu e spargetici panegrattatu, 3 filetti de alici salate e tritate, 2 spicchi d'aiju affettati fini fini, nu pugnu de cappiri, oiju, sale, pepe e prezzemolu. Co st'intruju rempietici le sacche e chijuetele co nu stuzzicaendi.
Mettete affilate le sacche a nu ticame, senza mettele unu sopre l'atra, annaffietele co nu pocu de oiju e, quandu cumingeranno a frigge, co nu picchieru de vinu biancu siccu. Lasciapete 'vaporà lu vinu dopu recoprete le sacche co acqua bollente. Portete a cuttura, a focu lentu e sirvitele co ju brodu de cuttura.

Calamaretti crudi

Preparazione: rapida

Ingredienti: 1 kg di calamaretti, ½ cipolla, olio, aceto, peperoncino, prezzemolo

Grado di difficoltà: facile

Occorrono calamaretti piccolissimi e, ovviamente, freschissimi. Lavatene accuratamente, in acqua corrente, circa 1 kg e riduceteli in piccoli pezzi. Disponeteli in una insalatiera e conditeli con mezza cipolla affettata finemente, olio, aceto, peperoncino e prezzemolo tritato. Prima di servirli, lasciateli marinare in luogo fresco per circa un'ora.

Il vino consigliato

CONTROGUERRA CILIEGIOLO. Colore rosato tendente al cerasuolo; profumo gradevole e tipico; sapore asciutto e armonico.

Raw little squids

You need very small and, obviously, very fresh squids. Wash about 1 kg of them carefully in running water and cut them into small pieces. Put them in a salad bowl and season with half an onion finely sliced, oil, vinegar, chilli and chopped parsley. Before serving, let them marinate in a cold place for about 1 hour.

Calamuarithi crui.

Ci serveno calamuarithi picchili picchili e, naturarmende, frischissmi. Allaveteij boni boni, co l'acqua corrende, quaci nu chilu e nel taijaji, riducetij a pizzittini. Mettetij a 'nanzalatiera e accongetij co mezza cipolla fatta a fittine fine, oiju, acitu, pipiruncinu e prezzemulu tritatu.
Prima de passaij, lascetij repusà allu friscu pe quaci n'ora.

Calamari ripieni

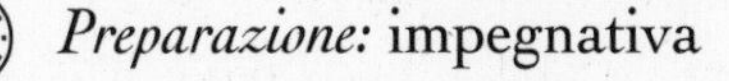

Preparazione: impegnativa

Ingredienti: 12 calamari, 200 g di scampi, 2 spicchi d'aglio, prezzemolo, olio, ½ limone, sale, pepe, ½ bicchiere di vino bianco secco

Grado di difficoltà: complessa

Occorrono 12 calamari di media grandezza, che laverete accuratamente togliendo la pellicola esterna della sacca. Togliete le teste e tritatele finemente insieme a 200 g di scampi sgusciati, 2 spicchi d'aglio e un ciuffo di prezzemolo. In una terrina condite il trito con olio, il succo di mezzo limone, sale e pepe. Inserite porzioni di questo composto nelle sacche dei calamari, chiudendole con uno stecchino. Disponete le sacche ripiene in un largo tegame senza sovrapporle, bagnatele con un misto di acqua e olio e fatele cuocere a fuoco moderato a tegame semicoperto. Poco prima di servirle, irroratele con mezzo bicchiere di vino bianco secco, che lascerete evaporare a fuoco vivo. Servite subito.

Il vino consigliato

TREBBIANO d'ABRUZZO. Colore giallo paglierino; profumo vinoso, gradevole; sapore asciutto, sapido, armonico.

Stuffed squids

You need about 12 medium-size squids, which you will wash carefully and clear of the outer membrane of the sac. Remove the heads and chop them finely with 200 g of shelled prawns, 2 cloves of garlic and 1 sprig of parsley. In a bowl season this mixture with oil, the juice of half a lemon, salt and pepper. Stuff the squids' sacs with this filling and close them with a toothpick. In a pan arrange the sacs in a single layer, moisten with oil and water and leave to cook, the pan half covered, on a medium flame. Just before serving, moisten them with half a glass of dry white wine, which has to evaporate on a high flame. Serve immediately.

Calammari ripiini.

Ci serveno 12 calammarutti non tandu grossi, cuscinda medi, allavetiji co nu pocu di cura, le= vandoci la pillichela esterna della "sacca".
Levete le teste e tritetele fine fine assieme a 200 gr. de scampi capati, 2 spicchi d'aiju e nu cuffit= tu de prezzemolu. A nu ticamuociu de coccu, cun= ditici ju tritu co oiju, ju sucu de 1/2 limò, sale e pepe. Mettete purziò di gustu 'ntruiju nelle "sacche" deji calammari, tenendo cura di chijuele co nu stuzzicaendi. Mettete le "sacche" repiene endru nu ticame largu, senza mettele una sopre l'atra, bagnetele co acqua e oiju mischiatu e fecetele coce a focu lentu co ju ticame quaci chiusu.
Pocu prima di sirville, annaffietele co mezzu pic= chieru di vinu biancu siccu, che lascete 'vaporà a focu vivu. Stu piattu va sirvitu subbitu.

Triglie alla brace

Preparazione: impegnativa

Ingredienti: 2 triglie a persona, olio, aglio, rosmarino, alloro, prezzemolo, sale, pepe in grani

Grado di difficoltà: facile

Sono triglie da preparare all'aria aperta avendo la possibilità di cuocerle alla brace. Calcolate 2 triglie a persona. Non squamatele, togliete le interiora e lavatele. Bene asciutte, immergetele in una marinata preparata con olio, aglio, rosmarino, alloro, prezzemolo, sale e pepe in grani. Lasciatele marinare per circa 2 ore (rigirandole una o due volte), poi infilzatele, nel senso della lunghezza, in sottili spiedini e cuocetele sulla carbonella.

Il vino consigliato

CONTROGUERRA BIANCO. Colore giallo paglierino; profumo gradevole, fruttato; sapore asciutto con lieve retrogusto amarognolo.

Grilled red mullets

These red mullets have to be prepared in the open air, where you can cook them on glowing charcoal. Calculate 2 red mullets per person. Don't scale them, remove the entrails, then wash the fish. When dry, put them in a marinade of oil, garlic, rosemary, bay, parsley, salt and peppercorns. Leave to marinate for about 2 hours (turn the fish once or twice), then skewer them lengthways and cook them on a charcoal fire.

Trije alla bracia.

So trije che se prepareno all'aria operte, cuscinda da avè la pussibbilità di cocele alla bracia. De solido se calcoleno 2 trije a perzò.

Nun ci serve de scuamalle, levetici le bruel-le solu e allavetele; le fecete asciucà come si de-ve e dopu mettetele endru nu miscuju prepara-tu co oiju, aiju, rosmarinu, na fojetta d'alloru, prezzemulu, sale e pepe senza tritá.

Fecete assaporá pe circa 2 ore (rigirandole una o 2 'ote), dapò infiletele dalla parti della lunghez-za co spiedini fini fini e fecete coce sopre la car-bonella a focu lentu.

Dolci

Cassata

 *Preparazione:* impegnativa

 *Ingredienti:* 350 g di pan di Spagna, liquore Centerbe, 250 g di burro, 5 tuorli d'uovo, 150 g di zucchero a velo, 30 g di cacao amaro, cioccolato, torrone, croccante

Grado di difficoltà: complessa

Vi occorre una forma di pan di Spagna di 350 g. Dividetela in 4 fette nel senso della larghezza e imbevetela di liquore Centerbe. Lavorate in una terrina 250 g di burro, 5 tuorli d'uovo e 150 g di zucchero a velo. Dividete questo composto in 3 parti: nella prima, amalgamate 30 g di cacao amaro; nella seconda, cioccolato e torrone tritati; nella terza, croccante tritato. Alternate queste 3 creme con le fette di pan di Spagna, inumidite con altro Centerbe, e lasciate la cassata in frigorifero per almeno 8 ore prima di servirla.

Il vino consigliato

CONTROGUERRA MOSCATO. Colore giallo paglierino carico; profumo armonico e tipico; sapore dolce e amabile.

Rich triffle

You need 1 "Pan di Spagna" (a sort of spongy cake) weighing 350 g. Cut it into 4 slices broadwise and moisten it with the "Centerbe" liqueur. Mix together 250 g of butter, 5 eggyolks and 150 g of icing sugar. Divide this mixture into 3 parts: blend the first one with 30 g of bitter cocoa, the second one with chopped chocolate and nougat, the third one with chopped almond candy. Alternate the 3 creams with the "Pan di Spagna" slices, moisten with some more "Centerbe" and, before serving, leave the sweet in the fridge for 8 hours at least.

Cassata.

Ci serve na forma de pan de spagna da 350 gr. Dividetela in 4 fette aju senzu della larghezza e facetele "zuppà" co ju liquore de "centerbe" de Toccu Casauria.

Pijete na capace pignatella de cocciu e mettetici endru 250 gr. di burru, 5 rusci d'ovu e 150 gr. di zucchiru da pasticciria. Dapu avè lavuratu tottu bonu bonu si divide in tre parti uguali: alla prima s'amalgheno 50 gr. de cacao amaru; alla seconda cioccolata e torrò tritatu; alla terza na pasta croccante tritata.

Se metteno alternate ste 3 creme co le fette de pan de spagna; si innumidisce ancora co atru "centerbe" e lascete la cassata pe armeno 8 ore a nu fricurifiru, prima di sirvilla.

A

ABBRUSCÀ: tostare il caffè
ABBURRÀ: mangiare molto
ACCUNDÌ: condire
ACÉTE: aceto
ACETÉRE: oliera
ACIME: pane
ACQUE: acqua
AFFUMÀ: affumicare
ALLESSÀ: lessare
AMMASSÀ: impastare il pane
ARECAPÀ: sbucciare, sgusciare

B

BACCHE: vacca
BECCHÉRE - BUCCHÉRE: bicchiere
BIÉTE - BRÉTE: bietola
BOBBÒ: pasta dolce
BÒCCE: fiasco. *Bòcce 'mbajate*: damigiana
BRODE: brodo
BUCCUNOTTE: pasticcino
BURRÈLLE: formaggio a forma di pera ripieno di burro
BUTIRE: burro

C

CACE - QUACE: formaggio
CACIOTTE: piccola forma di formaggio
CAFÉ - QUAFÉ: caffè
CALLARE: paiolo
CALLÉCCHIE: mezzo gheriglio di noce fresca
CAMBUMILLE: camomilla
CANDENÉRE: cantiniere, vinaio
CARABBÓNE - CARRABBONE: grosso fiasco per conservare il vino
CARACINE: fico secco
CARDÓNE: cardo
CARÉZZE: colazione o merenda
CARÓTE: carota
CARCAFE: caraffa
CARVONE - CAREVÓNE: carbone, brace
CASSIÓLA: vaso nel quale si spremono le vinacce
CAVEDEFIÓRE: cavolfiore
CAVETADDÉTE: gnocchi
CÈFALE: cefalo
CEPÓLLE: cipolla
CERACE - CERECE: ciliegia
CÈRVE - CÈREVE: acerbo
CETRONE: cocomero
CÈVULE: pane fresco, soffice
CHIARÈNZE: ubriacatura
CHÌCHERE: gheriglio
CIAMBÈLLE: ciambella, dolce fritto
CIARAVÈLLE: pane bagnato nell'acqua, panzanella
CIBBE: cibo
CIBBORIE: manicaretto
CICE: cece
CICERCHIÀTE: dolce a forma di ciambella ricoperto di miele
CIME: pane azzimo, non lievitato
CIUCCULATE: cioccolata
CÓCCHIE - CÓCCHIELE: crosta del pane

CÓNGHELE: mallo della noce e della mandorla
CRESÒMELE: albicocca
CRESPÈLLE: frittelle di pasta lievitata
CRETAJJE: stoviglie di terracotta
CUCCHIARE: cucchiaio
CUCÓCCE - CHECÓCCE: zucca
CUMBÒSTE: frutta conservata sott'aceto
CUMMITE: banchetto
CUPÉTE: pasta dolce fatta di mandorle e miele
CURTÈLLE: coltello

D

DELLEGGERÌ: digerire
DENDALE: dentice
DESCOTTE: scotto, stracotto
DIJIUNÀ: digiunare

F

FACIÓLE: fagiolo
FACIULITTE: fagiolini
FAVE - FAFE: fava
FECATAZZE: salsiccia di fegato di maiale
FECAZZE: focaccia
FELLATE: salame tagliato a fette
FERZÓRE: padella
FÉTECHE - FÈTTECHE: fegato
FÌCURE: fico
FLÈTTE: filza di fichi secchi
FLÒCE: noce fresca
FÓGNE: fungo
FRACCHIATE: farinata di granturco, polenta
FRECONE: vinello, vino leggero
FRIJJÈ: friggere
FRUTTE: frutta
FURCINE: forchetta

G

GALLINE: gallina
GAMMERE: gambero
GÉLE: gelato

J

JALLE: gheriglio
JÒTTE: ghiotto

L

LACCE: sedano
LAHANÈLLE: pasta per minestra a forma di nastrini, fatta in casa
LAMBANDE: olio
LANGÓUNE: ghiotto
LAPPÓSE: aspro
LATTUCHE: lattuga
LAZZARITTE: peperoni piccoli e piccanti
LÈBBRE: lepre
LECCUNÌZIE - LECCUNIZIE: leccornia
LECÓRE: liquore
LEMBÈRNE: merenda
LÈNDE: lenticchia

LESSAME: minestra fatta di nove qualità di legumi e cereali che i contadini mangiano il primo di maggio
LÈVETE: lievito

M

MACCARONE: maccherone
MACENELLE: macinino del caffè e del pepe
MAGNÀ: mangiare
MAJURANE: maggiorana
MANDILE: tovaglia
MANELE: mandorlo
MANERE: ramaiolo
MASSE: pasta da cui si ricavano i singoli pani
'MBACCARSE: ubriacarsi
'MBÈISE: frittelle di pasta fermentata
'MBUTTINÀ: lardellare la carne da arrostire
MELÀNGULE: cetriolo
MÉLARÀGNE: arancio
MÉLE: mela, miele
MÉLEGRANÀTE: melograno
MENACE: albicocca
MÈNDE: menta
MENESTRÀ: scodellare la minestra
MÈSCOTTE: biscotto
MÈSE: madia
MIJÌCHE: mollica del pane
MMÓSTE: mosto
MUFFELÉTTE: pane soffice, non raffermo

N

NDERRECENARSE: saziarsi
'NDOCCHE: intingolo della polenta
'NDRITE: nocciole secche infilzate
'NDUCCARSE: ubriacarsi
NESPRE: nespola
NEULE: dolce di Natale, fatto con cialde e miele
'NGURDENIZIE: ingordigia
'NZALATE: insalata, lattuga

O

ÓJJE: olio
ÓNDE: unto
ÓRIE: orzo
ÓSTRECHE: ostrica
ÓVE: uovo

P

PAGNUTTINE: panino da intingere nel caffè
PANATTÉRE - PANETTÉRE: fornaio
PASTE: pasto
PATANE: patata
PEPAROLE: peperone
PERDESÉNNELE: prezzemolo
PESÉLLE: pisello
PIGNATE: pentola
PIGNE: dolce di Pasqua ricoperto di uova sode
PIZZE: schiacciata. *Pizza dólge*: torta
PIZZECARÌJE: pizzicheria
PÒRCHE - PÒRCE: maiale

PRESUTTE: prosciutto
PRÒVELE: provatura, formaggio fresco

Q

QUACQUERAQUÀ: quaglia
QUAJJE: caglio
QUARATÈLLE: coratella

R

RACCIÀPPELE: grosso grappolo d'uva
RAFANÈLLE: ravanello
RAFFAJÓLE: specie di dolce con ripieno
RAGGETTATE: gran sete. *Rappèlle*: gran sete di vino
RAPE: rapa
RENECÉLLE: sorta di fico piccolo e nero
RETURNATE: vino fatto con mosto fermentato sulla vinaccia
RUSÒVIE: rosolio
RUUAGNE: stoviglie

S

SABBIE: salvia
'SAGNE: lasagna
SALAMONE: cibo molto salato
SALLÉCCHIE: baccello della fava
SANGHENACCE: sanguinaccio
SAVECICCE: salsiccia
SBEVÈ: far colazione
SCERUPPE: sciroppo
SCERUPPÀ: candire
SCIUVÉ: insipido
SCÒRCE: buccia della frutta e dei legumi
SDIJUNÀ: mangiare, rompere il digiuno
SÉCCE: seppia
SÉMULE: semolino
SENZANE: interiora di agnello cotte allo spiedo
SFÒJJE: sogliola
SPÀRGENE: asparagio

T

TACCUNGILLE: pasta da minestra
TARALLE: ciambella
TARATUFE - TARATUFFELE: tartufo
TÀVULE - TÀVELE: tavola
TRÒTTE: trota
TRUSMARINE: rosmarino
TURCENÈLLE: interiora di agnello

U

UMELE: brocca
UVATE: conserva d'uva
UVE: uva

V

VANDÉRE: vassoio
VANGIÀLE: guanciale di maiale
VARZELLUNE: ceci di qualità molto grossa

VASÀNECÓLE: basilico
VELLÉGNE: vendemmia
VELÒCCE: tuorlo dell'uovo
VENDRECINE: salame insaccato nella trippa del maiale
VERNACÒCHELE: albicocca
VÌSCERE: visciola
VOLLÉ - VULLÌ: bollire
VRUSCHETTE: bruschetta

Z

ZAMBANÈLLE: panzanella
ZÒCCHE: chicco d'uva
ZUCCHERE: zucchero
ZZUREFECATE: vivanda di carne spezzettata cotta con peperoni e pomodori

Sapori molisani

Salse

Ragù d'agnello

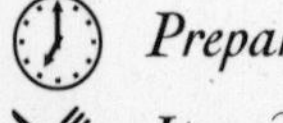

Preparazione: impegnativa

Ingredienti: 300 g di polpa d'agnello, olio, 3 spicchi d'aglio, rosmarino, alloro, timo, 1 bicchiere di vino rosso secco, 3 peperoni, 4 pomodori pelati, sale, pepe

Grado di difficoltà: complessa

Tritate 300 g di polpa d'agnello tolta dalla coscia. In un tegame, soffriggete in mezzo bicchiere d'olio 3 spicchi d'aglio, qualche rametto di rosmarino, una foglia d'alloro e un pizzico di timo. Unite la carne e fatela ben rosolare, facendovi poi evaporare 1 bicchiere di vino rosso secco. Tagliate a listarelle sottili 3 peperoni, tagliuzzate 4 pomodori pelati e aggiungeteli alla carne. Salate, pepate e lasciate cuocere la salsa a fuoco basso.

Il vino consigliato

BIFERNO ROSSO. Colore rosso rubino più o meno intenso; profumo caratteristico e gradevole; sapore asciutto, armonico, vellutato.

Lamb sauce

Mince 300 g of lean lamb cut from the thigh. Fry 3 cloves of garlic, some rosemary, 1 bay leaf and a pinch of thyme in a pan with half a glass of oil. Add the meat and leave to fry lightly, then let 1 glass of dry red wine evaporate in. Cut 3 peppers into thin strips, chop 4 peeled tomatoes and add them to the meat. Salt, pepper and allow to cook on a low flame.

Raù re ainielle.

Tretate 300 gramme re polepa r'ainielle, luuate da la coscia. Rente a nu tijane, sfrijete mieze becchiere r'oglie, 3 spicchie r'aglie cacche foglia re specanarda, 1 foglia re laure e nu pizzeche re time.
Aunite la carna e sfrijetela bbuone, facenne pò svapurà nu becchiere re vine russe sicche. Tagliate a strisciulelle 3 peparuole, tretate bbelle pemmarulelle pelate e aunitele a' la carna. Salate, pepate e facete coce la salsa a fuoche liente.

Ragù misto

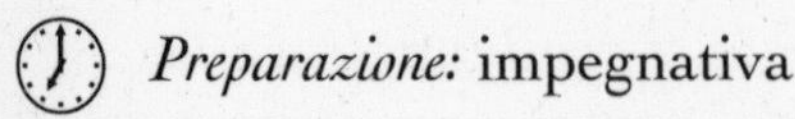

Preparazione: impegnativa

Ingredienti: 1 kg di carne di maiale e di vitello, olio, aglio, cipolla, sedano, carote, 50 g di concentrato di pomodoro, sale, pepe

Grado di difficoltà: complessa

È un ragù preparato con carne mista di maiale e di vitello. Ne occorrerà 1 kg complessivamente. Tagliatela a dadi e rosolatela come al solito, in olio e aglio. Quando sarà ben colorita, aggiungete un trito di cipolla, sedano e carote. Insaporite per qualche minuto, poi unite 50 g di concentrato di pomodoro diluito in acqua calda. Salate, pepate e lasciate cuocere a lungo a fuoco basso. Il sugo potrà servire a condire pasta o riso.

Il vino consigliato

MOLISE TINTILIA. Colore rosso rubino intenso con riflessi violacei; profumo vinoso, intenso, gradevole; sapore morbido, armonico, asciutto.

Mixed meat sauce

It is a meat sauce made with veal and pork. You need 1 kg of meat. Cut it into cubes and fry it, as usual, in oil and garlic. When lightly fried, add chopped onion, celery and carrots. Leave to flavour for some minutes, then add 50 g of tomato purée thinned with hot water. Salt, pepper, then leave to cook for a long time on a low flame. The sauce may be used to season pasta or rice dishes.

Raù miste.

È lu classeche raù che z'ausa a lu Mu=
lise, fatte che nu muste re carna re puorche e
de vetella e ce ne vo' nu chile cumplessivamente.
Tagliate la carna a piesse e facetela sfrije cum=
me a u solete, rente a oglie e aglie.
Quanne è bbella sfritta, mettete 1 cepolla, lac=
ce e pastenache tutte tretate.
Facete 'nzapurì pe cacche menute e mettete
50 gramme re salsa allungata che l'acqua
calla. Salate, pepate, e facete coce pe' paricchie
tiempe a fuoche liente.

MINESTRE E PASTASCIUTTE

Minestra di cicoria

Preparazione: rapida

Ingredienti: 50 g di guanciale, olio, cicoria, 4 uova, pecorino, sale, peperoncino, 1,5 litri di brodo di manzo o di manzo e pollo, 1 cipolla, 2 carote, 1 costa di sedano

Grado di difficoltà: facile

La "cicoriella" è una verdura che nasce spontanea in quasi tutto l'Abruzzo e il molisano. Questa ricca minestra ne esalta il sapore gradevolmente amaro. Tagliate a dadini 50 g di guanciale e soffriggetelo in olio abbondante. Lessate la cicoria, scolatela bene, tagliuzzatela e unitela al soffritto. Quando si sarà insaporita, unite 4 uova battute con abbondante pecorino grattugiato, sale e peperoncino tritato. Travasate tutto in un tegame e aggiungete 1 litro e mezzo di brodo di manzo o di manzo e pollo, nel quale avrete fatto cuocere 1 cipolla, 2 carote e 1 costa di sedano. Mescolate bene e servite subito.

Il vino consigliato

BIFERNO BIANCO. Colore giallo paglierino con riflessi verdognoli; profumo delicato, gradevole, leggermente aromatico; sapore asciutto, fresco, armonico.

Chicory soup

Chicory is a wild vegetable growing all over Abruzzo and Molise. This rich soup emphasizes its pleasantly bitter taste. Cut 50 g of pork jowl into pieces and fry it lightly in abundant oil. Boil the chicory, drain it well, chop it and add it to the fried pork. When it is well flavoured, add 4 beaten eggs with abundant grated pecorino cheese, salt and chopped chilli. Put the lot in a wide pan, add 1 litre and a half of beef (or beef and chicken) broth, where you had previously cooked 1 onion, 2 carrots and 1 stick of celery. Mix well and serve immediately.

Menestra re cecoria.

La cecuriella, jè na menestra ca nasce 'ntutte lu Mulise.
'Sta menestra, fa resaltà ru sapore 'marognele
ca tè. Tagliate 'a pezzettine 50 grammi re vrucculare e sfrijetelu 'ente a nu bbelle poche r'oglie.
Scaurate la cecoria, sculatela bbuone, tagliatela
e mettetela 'nzieme a lu suffritte.
Quanne ze sarrà tutta bbella 'nzapurita, sbattete 4 ove che nu bbelle poche re furmagge pecurine rattate, sale e riaulille tretate.
Mettete tutte cose rente a na bbella tijella cupputa re creta e allungate che nu litre e mieze
re brore (re vetella o re allina e vetella).
Rente a ssu brore, c'aveta mette: 1 cepolla,
2 pastenache e nu poche re lacce.
Mischiate bbuone e servite calle.

Lenticchie alla montanara

Preparazione: impegnativa

Ingredienti: 200 g di lardo, olio, 5 o 6 pomodori pelati (o concentrato di pomodoro), basilico, peperoncino, sale, pepe, 20 castagne, 500 g di lenticchie, alloro

Grado di difficoltà: facile

In un tegame con poco olio, fate soffriggere 200 g di lardo tagliato a dadini. Quando avrà preso colore, unite 5 o 6 pomodori pelati (o una noce di concentrato di pomodoro sciolto in acqua tiepida), basilico, peperoncino, sale e poco pepe. Unite alla salsa una ventina di castagne abbrustolite ridotte in piccoli pezzi e portate a cottura. Nel frattempo avrete fatto lessare 500 g di lenticchie in acqua leggermente salata aromatizzata con 1 foglia d'alloro. Nelle lenticchie e nella loro acqua di cottura versate la salsa, mescolate bene e servite.

Il vino consigliato

MOLISE MONTEPULCIANO. Colore rosso rubino tendente al granato; profumo gradevole, tipico, vinoso; sapore morbido, armonico, leggermente tannico.

Lentils, Mountain style

Fry lightly 200 g of diced lard in a pan with little oil. When it colours, add 5 or 6 peeled tomatoes (or a knob of tomato purée melted in warm water), basil, chilli, salt and little pepper. Add to the sauce about 20 roasted and chopped chestnuts and let cook. In the meanwhile, boil 500 g of lentils in slightly salted water flavoured with 1 bay leaf. Add the sauce to the lentils still in their cooking water, mix well and serve.

Miccule a la montanara.

Rente a na tijella re creta, che nu poche r'oglie, sfrijete 200 grammi re larde tagliate a pezzettine.
Quanne se so fatte le cicule, mettete 5 o 6 pem=marulelle pelate (o nu poche re cunzerva sec=cata, sciota rente a l'acqua tiepida), vasileche, riaulille, sale e nu poche re pepe.
Mettete rente a la salsa, na ventina re casta=gne 'bbrustulite, a pezzettine e facete coce.
'Ntante, avete fatte scaurà 500 gramme re mic=cule, rente a l'acqua salata, arumatezzate che na foglia re laure.
Mischiate bbuone le miccule (senza scularle re l'acqua re cuttura) che 'sta salsa e pur=tate a taula.

"Fruffella"

Preparazione: impegnativa

Ingredienti: 1 kg di verdura mista (indivia, cicoria, bietola, sedano, ecc.), sale, 200 g di pancetta, 1 cipolla, 1 carota, 1 spicchio d'aglio, olio

Grado di difficoltà: facile

Dalla tradizione gastronomica molisana evidenziamo questa minestra molto gustosa. Procuratevi 1 kg di verdura mista (indivia, cicoria, bietola, sedano, ecc.) e lessatela in poca acqua salata. In un tegame capace, fate soffriggere 200 g di pancetta tagliata a da-dini, 1 cipolla, 1 carota, 1 spicchio d'aglio e un filo d'olio. Scolate la verdura, tagliatela a pezzi e fatela rosolare nel soffritto, allungandola successivamente con l'acqua di cottura della verdura, aggiungendone dell'altra se non dovesse bastare. Nella zona di Poiano, questa minestra si serve con polenta al forno.

Il vino consigliato

PENTRO di ISERNIA BIANCO. Colore giallo paglierino con riflessi verdognoli; profumo delicato, tipico, profumato; sapore asciutto, intenso, fresco.

Vegetables soup

This very tasty soup belongs to the gastronomic tradition of Molise. Buy 1 kg of mixed vegetables (endive, chicory, swiss-chard, celery, etc.) and boil them in little salted water. In a wide pan fry lightly 200 g of diced bacon, 1 onion, 1 carrot, 1 clove of garlic and a drop of oil. Drain the vegetables, cut them into pieces and let them fry lightly in the fried mixture, then thin with the vegetables cooking water; if necessary, add some more water. In the Poiano district, this soup is served with baked "polenta".

Fruffella.

Dall' usanze gastronomeche mulesane, capa=
me 'sta menestra assà sapurite.
Ce vo' 1 chile re menestra ammista (scarola,
cecoria, jeta, lacce ecc.) e scauratela rente a
poca acqua salata.
Rente a na tijella bbella grossa, facete sfrije
200 gramme re ventresca a pezzettine, 1 cepolla,
1 pastenache, 1 spicchie r'aglie e nu file r'oglie.
Sculate la menestra, tagliatela a piezze e face=
tela sfrije rente a 'u suffritte, allungamme pò
che l'acqua re cuttura de la menestra, e metten=
necene n'aute poche, se n'avessa bastà.
A la zona de lu Paiano, 'sta menestra ze serve
che la pulenta a 'u furne.

Pasta all'aglio e peperoncino

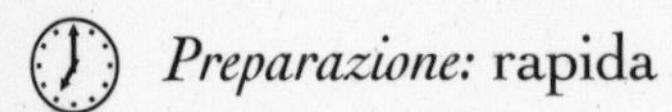

Preparazione: rapida

Ingredienti: olio, 3 spicchi d'aglio, 1 peperoncino, 700 g di spaghetti, prezzemolo, sale

Grado di difficoltà: facile

In un tegamino, versate 1 bicchiere d'olio, 3 spicchi d'aglio finemente tagliati e 1 peperoncino sminuzzato. Fate soffriggere appena, senza far prendere colore all'aglio. In acqua salata abbondante, cuocete 700 g di spaghetti e, appena sono al dente, scolateli e versateli in un largo piatto a bordi svasati. Avrete, nel frattempo, tritato abbondante prezzemolo, unitelo al condimento con 1 bicchiere d'acqua della pasta, aggiustate di sale, portate a bollore e versate sulla pasta. Mescolate bene e servite subito.

Il vino consigliato

PENTRO di ISERNIA ROSSO. Colore rosso rubino più o meno intenso; profumo tipico, gradevole; sapore asciutto, armonico, vellutato.

Pasta with garlic and chilli

Put 1 glass of oil, 3 cloves of garlic finely cut and 1 chopped chilli in a small pan. Leave to fry lightly without browning the garlic. Cook 700 g of spaghetti in abundant salted water and, when chewy but firm, drain them and put them in a wide dish. You should have previously chopped abundant parsley and put it into the sauce with 1 glass of the pasta cooking water. Check the salt, bring the lot to the boil and pour it on the pasta. Mix well and serve immediately.

Maccarune all'aglie e riaulille.

Rente a na fessurella, mettete 1 becchiere r'oglie, 3 spicchie r'aglie tretate fine fine e nu riaulille tretate.
Facete sfrije appena, ca l'aglie ara esse vergene vergene. Rente all'acqua salata, facete coce 700 gramme re spaghette e quanne sò al dente, sculatele e menatele rente a na sperlonca.
'Ntante tretate fine fine nu bbelle poche re petrosinere e mischiatelu a lu cundemente, 'nzieme a nu becchiere r'acqua.
Accunciate re sale, facete ullì e menatele 'ngoppe a la pasta.
Mischiate bbuone e servite subbete.

Maccheroni con ragù di pecora

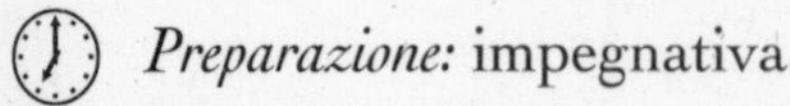

Preparazione: impegnativa

Ingredienti: 700 g di maccheroni, pecorino; *per il ragù*, 300 g di polpa di coscia di pecora, olio, aglio, rosmarino, alloro, ½ bicchiere di vino, 1 cucchiaio di concentrato di pomodoro, brodo di carne, sale, pepe

Grado di difficoltà: complessa

Occorrono 700 g di maccheroni. Per preparare il ragù di pecora procedete nel modo seguente. Tagliate a tocchetti 300 g di polpa di coscia di pecora giovane e fatela rosolare in un battuto d'aglio, rosmarino e una foglia d'alloro, che successivamente toglierete. Quando la carne avrà preso colore, fatevi evaporare mezzo bicchiere di vino. Poi unite 1 cucchiaio di concentrato di pomodoro diluito in due tazze di brodo leggero di carne. Salate, pepate e cuocete a fuoco basso, a tegame semicoperto, per circa 2 ore. Lessate la pasta e conditela con il ragù e abbondante pecorino grattugiato.

Il vino consigliato

MOLISE TINTILIA. Colore rosso rubino intenso con riflessi violacei; profumo vinoso, intenso, gradevole; sapore morbido, armonico, asciutto.

Macaroni with sheep sauce

You need 700 g of macaroni. To prepare the sauce, do as follows. Cut into cubes 300 g of meat from the thigh of a young sheep and fry it lightly with chopped garlic, rosemary and 1 bay leaf, which you then remove. When the meat takes colour, leave half a glass of wine to evaporate in. Then add 1 tablespoon of tomato purée thinned with two cups of light meat broth. Salt, pepper and let cook, the pan half covered, on a low flame for about 2 hours. Boil the pasta and season it with this sauce and abundant grated "pecorino" cheese.

Maccarune cu raù de pecura.

Servene 700 gramme re maccarune.
Pè preparà u raù re pecura facete accuscì: tagliate a pezze 300 grammie re polepa re coscia re pecura giovane, facetela rusulà rent'a nu trite r'aglie, specanarda, 1 foglia re laure, che pò aveta luvà.
Quanne la carna avrà pigliate culore, facete ve svapurà mieze becchiere re vine. Pò mettetece nu cucchiare re cunzerva secca sciotà rente a ddui tazze re brore re carna.
Salate, 'mpepate e cucete a fuoche vasse, che la tijella nu poche scupirchiata, pè nu ddu ore. Scaurate la pasta e cunditela che lu raù e na bbella rattate re pecurine.

Carni, Pollame e Selvaggina

Agnello stufato

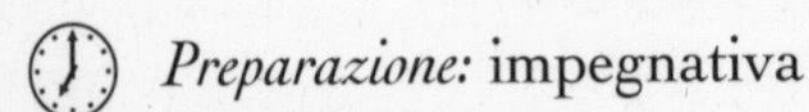

Preparazione: impegnativa

Ingredienti: 1,3 kg di polpa di agnello, farina, olio, 50 g di pancetta coppata, cipolla, sedano, carote, sale, pepe, ½ l di brodo leggero

Grado di difficoltà: complessa

Vi occorre della polpa di agnello per complessivi 1 kg e 300 g. Tagliatela a cubetti, infarinatela e fatela rosolare in mezzo bicchiere d'olio, insieme a 50 g di pancetta coppata tagliata a dadini. Quando la carne avrà preso colore, unitevi un trito di cipolla, sedano e carote. Lasciate che la carne si insaporisca, aggiustate di sale e pepe e diluite poi con mezzo litro di brodo leggero (anche di dado). Coprite il tegame e fate cuocere, a fuoco leggero, ravvivandolo a quasi fine cottura perché la salsa si restringa. Servitelo caldo.

Il vino consigliato

BIFERNO ROSSO. Colore rosso rubino più o meno intenso; profumo caratteristico e gradevole; sapore asciutto, armonico, vellutato.

Stewed lamb

You need 1 kg and 300 g of lean lamb. Cut it into cubes, flour and fry it lightly in half a glass of oil with 50 g of diced bacon. When the meat takes colour, add chopped onion, celery and carrots. Leave the meat to flavour, check salt and pepper, thin with half a litre of light broth. Put a lid on and let cook on a low flame until the meat is nearly done, then raise the heat to thicken the sauce. Serve hot.

Aimielle stufate.

Serve nu piezze re polepa r'aimielle de circa nu chile e treciente. Tagliatela a piez= ze, 'nfarenatela e facetela sfrije rente a mie= ze becchiere r'oglie, 'nzieme a 50 gramme re ventresca tagliate a quadrettine.
Quanne la carna sarrà bella sfritta, mette= te 1 cepolla, lacce e pastenache tutte tretate. Facete 'nzapurì la carna, mettete sale e pepe, allungate che mieze litre re brore. A'mmantate la tijella e facete coce a fuoche liente, auzanne però la fiamma a tre quarte re cuttura, pè fà restregnere la salset= ta. Servitelu calle, accumpagnannelu che nu bbuone becchiere re vine.

Agnello all'uovo e limone

Preparazione: impegnativa

Ingredienti: 1,5 kg di agnello, olio, 2 spicchi d'aglio, sale, pepe, 1 bicchiere di vino bianco secco, brodo di manzo, 4 tuorli d'uovo, ½ limone

Grado di difficoltà: facile

È una pietanza particolare, che in Molise si suole preparare nel periodo pasquale. Tagliate 1 kg e mezzo di agnello in piccoli pezzi e fateli saltare in mezzo bicchiere d'olio e 2 spicchi d'aglio, che toglierete appena avranno preso colore. Quando l'agnello sarà ben rosolato, conditelo con sale e pepe, poi fatevi evaporare 1 bicchiere di vino bianco secco. Aggiungete una tazza di brodo leggero di manzo, coprite il tegame e portate a cottura la carne. Scolatela e sistematela in un piatto di portata riscaldato. Togliete il tegame dal fuoco e stemperate il fondo di cottura con 4 tuorli d'uovo battuti e il succo di mezzo limone. Rimettete sul fuoco il tegame, sempre mescolando, e, quando la salsa comincerà a sobbollire, versatela sull'agnello, che servirete subito.

Il vino consigliato

BIFERNO BIANCO. Colore giallo paglierino con riflessi verdognoli; profumo delicato, gradevole, leggermente aromatico; sapore asciutto, fresco, armonico.

Lamb with eggs and lemon

It is a special dish that is generally prepared in Molise during Easter time. Cut 1 kg and a half of lamb into small pieces and toss them in half a glass of oil and 2 cloves of garlic, that must be removed when golden. When the lamb is fried, season it with salt and pepper, then let 1 glass of dry white wine to evaporate in. Add a cup of light beef broth, cover the pan and let cook. Then drain the meat and arrange it in a heated dish. Remove the pan from the flame and blend the gravy with 4 beaten eggyolks and the juice of half a lemon. Put the pan back on the flame, mix continuously until the sauce begins to simmer, then pour it on the lamb and serve immediately.

Ainelle all' uove e lemone.

È na recetta che a lu Mulise, se prepara pè la Pasqua.
Tagliate 1 chile e mieze r'ainielle a piezze e facetelu sfrije rente a mieze becchiere r'oglie e 2 spicchie r'aglie, che aveta luuà, appena cumenzene a piglià culore.
Quanne l'ainielle se sarrà sfritte, mettete sale e pepe, 1 becchiere re vine bianche sicche e lassatelu assucà.
Allungate che na tazza re brore liegge re vetella, ammantate la tijella e facete coce la carna. Sculatela e mettetela rente a na sperlonca rescallata
Luuate la tijella da lu fuoche e sciugliete u sughette che 4 rusce r'uove sbattute e mieze lemone sprisciute.
Remettete la tijella a ru fuoche e sempe mischianne, quanne cumenza a olle, menate la salsetta 'ngoppe all' ainielle e servite subbete.

Agnello al forno

Preparazione: impegnativa

Ingredienti: 1,5 kg di agnello, olio, aglio, rosmarino, alloro, ½ bicchiere di vino rosso secco, sale, pepe in grani, 2 cipolle, rosmarino, ½ peperone

Grado di difficoltà: facile

Per 6 persone, vi occorre 1 kg e mezzo di agnello, che sezionerete a porzioni. Mettete i pezzi d'agnello a marinare per almeno 2 ore in olio, aglio, rosmarino, alloro, mezzo bicchiere di vino rosso secco, sale e pepe in grani. Disponeteli poi in una teglia da forno con 2 cipolle affettate, olio, altre foglie di alloro, rosmarino e mezzo peperone tagliato a listarelle sottili. Fatelo cuocere in forno a una temperatura di 180 °C, bagnandolo di tanto in tanto con il liquido della marinata.

Il vino consigliato

MOLISE AGLIANICO. Colore rosso rubino con riflessi violacei; profumo tipico, vinoso, intenso, sapore morbido, armonico, asciutto.

Roast lamb

For 6 persons, you need 1 kg and a half of lamb cut into pieces. Leave the lamb to marinate for 2 hours at least in oil, garlic, rosemary, bay, half a glass of dry red wine, salt and peppercorns. Then put it in a baking pan with 2 sliced onions, oil, bay, rosemary and half a red pepper cut into thin strips. Cook the lamb in the oven at 180 °C, moistening it now and then with the marinade liquid.

Agneiju aju furnu.

Pe sei perzò, ci serveno Kg. 1,500 de agneiju che se tea tajà a purziò. Mettete tutti ji pezzi dej 'agneiju a marinà, pe armeno 2 ore, coll' aiju, oiju, rosmarinu, alloru, mezzu picchiere di vinu rusciu siccu, sale, pepe senza macinà. Pijete na cazzarola da furnu co 2 cipolle tajate a fittine fine fine, oiju, atre foje de alloru e rosmarinu e 1/2 peperò tajatu a fittine. Fecete coce aju furnu a na temperatura de 180° e bagnete, ogni tandu, co la marinata.

Pollo in padella

Preparazione: rapida

Ingredienti: 1 pollo, farina, olio, 2 spicchi d'aglio, 1 peperone dolce, $^{1}/_{2}$ peperoncino, alloro, rosmarino, sale

Grado di difficoltà: facile

Tagliate il pollo in pezzi, infarinatelo e fatelo friggere in padella con olio e 2 spicchi d'aglio, che toglierete appena accenneranno a prendere colore. Quando il pollo si sarà ben rosolato, unite 1 peperone dolce tagliato a listarelle, mezzo peperoncino sminuzzato, una foglia d'alloro e un rametto di rosmarino. Aggiustate di sale, abbassate il fuoco e portate a cottura.

Il vino consigliato

PENTRO di ISERNIA BIANCO. Colore giallo paglierino con riflessi verdognoli; profumo delicato, tipico, profumato; sapore asciutto, intenso, fresco.

Pan-cooked chicken

Cut the chicken into pieces, flour and fry it in a frying-pan with oil and 2 cloves of garlic, that you will remove when golden. After the chicken has fried well, add 1 sweet pepper cut into strips, half a chopped chilli, 1 bay leaf and 1 stalk of rosemary. Check the salt, lower the flame and leave to cook.

Pullastre cuotte rente a la fressore.

Tagliate a piesse nu pullastre, 'nfarenatelu e facetelu sfrije rente a na fressora che óglie e 2 spicchie r'aglie, che avetà luuà appene pigliene culore.
Quanne u pullastre ze sarà rusulate, aunite nu peparuole roce, tagliate a lestarelle, mieze riaulille spezzetate, 1 foglia re laure, e na fronna re specanarda.
Accunziate re sale e facete coce a fuoche liente.

Pollo farcito

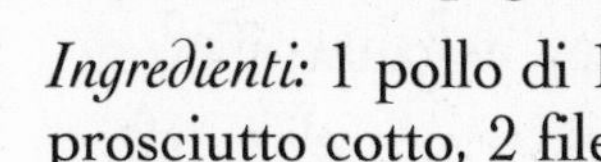

Preparazione: impegnativa

Ingredienti: 1 pollo di 1 kg, 300 g di carne di maiale e di vitello, prosciutto cotto, 2 filetti di acciuga, aglio, prezzemolo, 2 tuorli d'uovo, olio, sale, pepe, peperoncino, vino bianco secco

Grado di difficoltà: complessa

Fatevi disossare un pollo di 1 kg circa. In una terrina, amalgamate 300 g di carne mista (maiale e vitello) tritata, con prosciutto cotto, 2 filetti di acciuga salati e sminuzzati, aglio, prezzemolo, 2 tuorli d'uovo, olio, sale, pepe e un pizzico di peperoncino. Con questo composto riempite il pollo e ricucitelo. Ponetelo in una teglia ben unta d'olio, salate, pepate e ponete in forno. Portatelo a cottura irrorandolo di tanto in tanto con vino bianco secco.

Il vino consigliato

MOLISE TINTILIA. Colore rosso rubino intenso con riflessi violacei; profumo vinoso, intenso, gradevole; sapore morbido, armonico, asciutto.

Stuffed chicken

Buy 1 chicken weighing about 1 kg. In a bowl mix 300 g of chopped meat (pork and veal) with cooked ham, 2 fillets of chopped salted anchovy, garlic, parsley, 2 eggyolks, oil, salt, pepper and a pinch of chilli. With this filling stuff the chicken, then sew it up. Put it in a baking-pan greased with oil, season with salt and pepper and cook in the oven. Now and then moisten the chicken with dry white wine.

Pullastre arechijne.

Faceteve desussà nu pullastre re nu chile. Rente a na 'nzalaterella, meschiate 300 gramme re carna macenata mista (puorche e vetella), presutte cuotte, 2 alice salate e tretate, aglie, purdesinere, 2 rusce r' uove, oglie, sale, pepe e nu pizzeche e riaulille.
Che 'stu 'mpaste, rijgnete u pullastre e pò cuscitelu. Mettetelu rente a nu ruote, unte r' oglie, salate, pepate e mettete a u furne. Facetelu coce e, ogne tante, 'mbbummetelu che vine bianche sicche.

Coniglio molisano

Preparazione: rapida

Ingredienti: 1 coniglio di circa 1,7 kg, sale, pepe, prosciutto cotto, alloro, salsiccia

Grado di difficoltà: facile

Disossate un coniglio di circa 1 kg e 700 g e tagliatelo in pezzi non molto grossi (tali che possano essere infilzati in piccoli spiedini). Salateli e pepateli. Avvolgete ciascuno dei pezzi di coniglio in una fetta sottile di prosciutto cotto e alternateli negli spiedini con una foglia d'alloro e pezzi di salsiccia. Potete cuocerli sulla brace oppure in forno.

Il vino consigliato

PENTRO di ISERNIA ROSATO. Colore rosa più o meno intenso; profumo delicato, tipico, gradevole; sapore asciutto, armonico, lievemente fruttato.

Rabbit, Molise style

Bone 1 rabbit weighing about 1 kg and 700 g, cut it into not too big pieces (so as to spear them with very small skewers). Salt and pepper them. Wrap each piece in a thin slice of cooked ham and spear them alternating with 1 bay leaf and sausage pieces. You can cook them either on a charcoal fire or in the oven.

Cuniglie mulesane.

Desussate nu cuniglie re quasce nu chi=
le e setteciente, tagliatelu a pierze nen
troppe gruosse (pecchè amma esse 'nfelzate
rente a le spiedine). Salatele e pepatele.
Atturcenate ogne pierze re cuniglie rente a
na fella suttile re presutte cuotte e 'nfelzate=
le, alternanne na foglia re laure e nu
pierze re sauciccia. Ze puonne coce 'ngoppa
a la vrascia o a lu furne.

Coniglio alla brace

Preparazione: impegnativa

Ingredienti: 1 coniglio, 100 g di pancetta coppata, sale, pepe, 1 peperone, 1 cipolla, alloro, rosmarino, ginepro, olio d'oliva, ½ bicchiere di vino rosso secco, cognac

Grado di difficoltà: complessa

Pulite 1 coniglio, togliendo le interiora. Riempitelo con 100 g di pancetta coppata tagliata a dadini (che passerete in un misto di sale e pepe), listarelle sottili di peperone, 1 piccola cipolla finemente affettata, 1 foglia d'alloro, 1 rametto di rosmarino e 2 bacche di ginepro. Ricucite, fatelo cuocere alla brace, inumidendolo di tanto in tanto con un battuto di olio d'oliva, sale e pepe. Il fuoco deve essere non molto vivace per evitare di bruciare la pelle del coniglio. A cottura ultimata, passate a setaccio la farcitura, diluitela sul fuoco con mezzo bicchiere di vino rosso secco e qualche goccia di cognac e versatela sul coniglio, che avrete nel frattempo tagliato a pezzi.

Il vino consigliato

BIFERNO ROSSO. Colore rosso rubino più o meno intenso; profumo caratteristico e gradevole; sapore asciutto, armonico, vellutato.

Roast rabbit

Clean 1 rabbit and remove its entrails. Stuff it with 100 g of diced bacon (previously dipped in a mixture of salt and pepper), thin strips of red pepper, 1 small onion finely sliced, 1 bay leaf, 1 stalk of rosemary and 2 juniper berries. Sew it up, then cook it on a charcoal fire; now and then moisten it with a mixture of olive oil, salt and pepper. In order not to burn the rabbit skin, the fire shouldn't be too high. When done, sieve the filling and, on the flame, thin it with half a glass of dry red wine and drops of cognac, then pour it on the rabbit previously cut into pieces.

Cuniglie a la vrascia.

Pulite nu cuniglie e caccetece le ventrame.
Rijgnetelu che 100 gramme re ventresca abbre=
tata, tagliata a pezzettine, lestarelle re pe=
paruole, na cepulletta tretata fina fina,
1 foglia re lauze, na fronna re specanarda,
e 2 bacche re genepre.
Cuscitelu e facetelu coce a' la vrascia; ogne
tante 'nibbummetelu che nu battute fatte
che oglie r' auliva, sale e pepe.
U fuoche n'ara esse troppe forte, se no
ze 'bbruscia tutta la pelle de lu cuniglie.
Quanne z'è bbelle cuotte, cacciatece la 'mbut=
tetura e passatela a lu setacce.
Po' sciuglietela, 'ngoppe a lu fuoche, che mieze
becchiere re vine russe sicche e cacche occia
re cognacche.
Menate 'stu sughette 'ngoppe a lu cuniglie
che 'ntante avete tagliate a puezijune.

Braciole di maiale

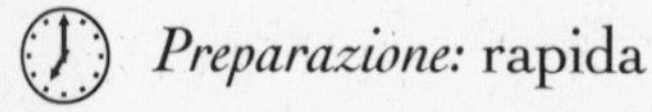

Preparazione: rapida

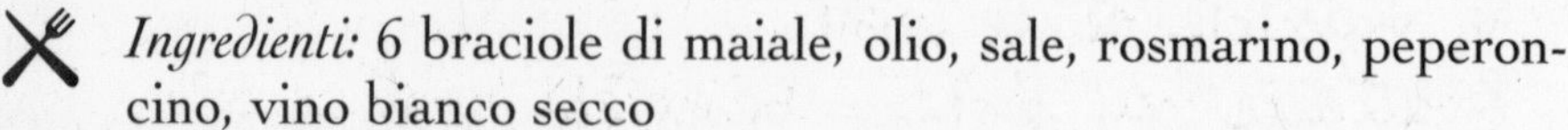

Ingredienti: 6 braciole di maiale, olio, sale, rosmarino, peperoncino, vino bianco secco

Grado di difficoltà: facile

Fatevi tagliare dal vostro macellaio 6 belle braciole di maiale. Battetele leggermente e passatele in un composto di olio, sale, rosmarino e peperoncino tritato. In una padella, con poco olio, fate rosolare le braciole da ambedue le parti, poi diluite con vino bianco secco, abbassate la fiamma e terminate la cottura.

Il vino consigliato

MOLISE TINTILIA. Colore rosso rubino intenso con riflessi violacei; profumo vinoso, intenso, gradevole; sapore morbido, armonico, asciutto.

Pork chops

Buy 6 nice pork chops. Pound them lightly, then dip them in a mixture of oil, salt, rosemary and chopped chilli. In a frying-pan with little oil fry both sides of the chops, then thin with dry white wine, lower the flame and allow to cook until done.

Vrasciole re puorche.

Faceteve taglià da nu chianchiere, 6 bbel=le vrasciole re puorche.
Sbattétele nu poche e passatele rente a oglie, sale, specanarda e reaulille tretate.
Rente a na fressora, mettete nu file r'oglie e facete rusulà tuorne tuorne le vrasciole.
Pò allungatele che nu poche re vine bianche. sicche, abbassate la fiamma e facete coce.

PESCE

Baccalà al forno

Preparazione: rapida

Ingredienti: 1,5 kg di baccalà, farina, olio, pangrattato, 1 spicchio d'aglio, prezzemolo, peperoncino, sale, pepe, origano, insalata verde

Grado di difficoltà: facile

Tagliate a pezzi 1 kg e mezzo di baccalà ben dissalato in acqua corrente e asciugato. Infarinatelo leggermente e friggetelo appena. In un tegame a bordo basso e largo, disponete le porzioni di baccalà, condite con pangrattato, olio, 1 spicchio d'aglio finemente tritato, prezzemolo, abbondante peperoncino, sale, pepe e un pizzico di origano. Terminate la cottura in forno caldo e servite con insalata verde.

Il vino consigliato

MOLISE CHARDONNAY. Colore giallo paglierino con riflessi verdognoli; profumo fresco e fruttato; sapore delicato e armonico.

Roast salt codfish

Cut into pieces 1 kg and a half of salt codfish, previously washed in running water to remove the salt and dried. Flour it and fry it lightly. Arrange the cod pieces in a wide and not deep baking-pan, season with breadcrumbs, oil, 1 finely chopped clove of garlic, parsley, abundant chilli, salt, pepper and a pinch of marjoram. Cook it in a oven and serve with green salad.

Baccalà arraanate.

Tagliate a pierze 1 chile re baccalà misse a muolle. Scigliete 2 chile re patane e tagliatele a felle tonne. Pigliate nu bbelle ruote, mettetece nu file r'oglie e na metà de le patane, oglie, 1 spicchie r'aglie tretate, purdesinere tretate, sale, pepe, e nu bbelle pissече de rechena.
'Mmantate lu baccalà, che felle tonne re cepolla e pemmarole mature. Remettete na bbella passata r'oglie, purdesinere, aglie tretate, rechena e sale. 'Mmantate che lu rieste de le patane, sempe ben cundite.
Prima re 'nfurnà (ru furne ara esse ben calle), smullecatece 'ngoppe na bbella mullica re pane.

Trote al forno

Preparazione: rapida

Ingredienti: 6 trote, olio, 1 spicchio d'aglio, capperi, olive nere, sale, pepe, prezzemolo, pangrattato

Grado di difficoltà: facile

Lavate bene 6 trote, togliete le interiora, asciugatele e disponetele in una pirofila. Conditele con olio, 1 spicchio d'aglio tritato, un pugno di capperi dissalati in acqua corrente, qualche oliva nera disossata e tagliata a pezzetti, sale, pepe, prezzemolo tritato, il tutto coperto da uno strato di pangrattato, che inumidirete con qualche goccia di olio d'oliva. Infornate a forno caldo e cuocete per 15/20 minuti.

Il vino consigliato

BIFERNO BIANCO. Colore giallo paglierino con riflessi verdognoli; profumo delicato, gradevole, leggermente aromatico; sapore asciutto, fresco, armonico.

Roast trout

Wash 6 trouts carefully, remove their entrails, dry them and put them in a flame-proof dish. Season them with oil, 1 chopped clove of garlic, some salted capers washed in running water, some chopped black olives, salt, pepper and chopped parsley. Cover the lot with a layer of breadcrumbs and moisten it with some drops of olive oil. Cook in a preheated oven for 15/20 minutes.

Trote a ru furne.

Pulite 6 bbelle trote, lavatele, assucatele e mettetele rente a nu ruote. Cunditele che oglie, 1 spicchee r'aglie tretate, nu puiniell re chiap=parielle (luuatece u sale, passannele sotte a l'acqua), cacche auliva nera senza uosse e tagliata a pezzettine, sale, pepe, purdesinere tretate e 'ngoppa 'ngoppa nu bbelle strate re pane rattate, 'nnumerite che cacche occia r'aglie. 'Mfurnate a furne calle e facete coce pe' 15/20 menute.

Dolci

Ciambelle

Preparazione: impegnativa

Ingredienti: 300 g di farina, olio, vino, 130 g di zucchero, burro

Grado di difficoltà: facile

Fate una pasta morbida con 300 g di farina, olio e vino in egual misura e 130 g di zucchero. Lasciatela riposare per circa 1 ora, poi tagliatela a piccole porzioni e preparate delle ciambelle. Disponetele in una teglia imburrata e cuocete a fuoco moderato.

Il vino consigliato

MOLISE MOSCATO. Colore giallo paglierino a volte dorato; profumo tipico e armonico; sapore dolce, tipico, asciutto.

Dough-nut

Prepare a soft dough with 300 g of flour, equal quantities of oil and wine and 130 g of sugar. Leave the dough to rest for about 1 hour, then divide it into pieces and prepare many ring-shaped dough-nuts. Arrange them in a buttered baking-pan and bake at a moderate heat.

Ciambelle.

Facete na pasta morbeda che 300 gramme re fiore, oglie e vine 'nparte uuale e 130 gramme re zucchere.
Facete repusà pe' n'oretta, e po' tagliatela a pezzettine, furmanne le ciambbelle.
Mettetele rente a na ramera onta, e cuocete a fuoche liente.

"Papatilli"

Preparazione: impegnativa

Ingredienti: 1 kg di miele, 100 g di mandorle tostate, 1 limone, pepe, farina

Grado di difficoltà: facile

Versate in una casseruola 1 kg di miele e portatelo a bollore. Mettete la casseruola sul bordo del fornello e, sempre mescolando, unite 100 g di mandorle tostate, la scorza grattugiata di 1 limone, abbondante pepe e tanta farina quanto ne occorre per ottenere un impasto sufficientemente denso. Versate questo impasto in teglie da dolci dal bordo basso e lasciatelo raffreddare. Poi tagliatelo in rettangolini, che cuocerete nel forno, a fuoco basso. Si servono freddi con vino da dessert e si conservano a lungo.

Il vino consigliato

MOLISE MOSCATO PASSITO. Colore giallo dorato; profumo tipico, intenso, delicato; sapore armonico, gradevole, dolce.

Almond candy

Put 1 kg of honey in a casserole and bring it to the boil. Keep the casserole on a corner of the flame and, mixing continuously, add 100 g of toasted almonds, 1 grated lemon rind, abundant pepper and enough flour to get a rather thick mixture. Pour it into not deep moulds and leave to cool. Then cut it into rectangular pieces and cook them in the oven at a low temperature. Serve them cold with dessert wine. They may be kept for a long time.

'Mpepatielle.

Rente a na cazzarola mettete nu chile re miele e facetelu ullì. Luvate la cazzarola da lu fuoche e tenetela 'ncalle a 'nu spicule de la furnacella. Sempe mesculanne, aunite 100 gramme re mennule abbrustulite, la scorcia rattata de nu lemone, nu bbelle po=che re pepe 'npolvere e tanta fiore pe' quan=te ze n'assorbe, fine a avè na pasta abba=stanza morbeda.

Mettete 'sta pasta rente a na ramera facen=nela raffreddà. Quanne sè raffeddata, ta=gliatela a filone e mettetela a lu furne, facen=ne coce a fuoche liente.

A tre quarte re cuttura, ricacciatele e taglia=tele a tipe maltagliate.

Reficchiatele a lu furne e facete funì re coce.

Ze magnene fridde, accumpagnannele che nu vine roce e ze puonne 'stepà pe' paricchie tiempe.

Calciumi molisani

Preparazione: impegnativa

Ingredienti: 250 g di farina da dolci, 2 tuorli d'uovo, vino, olio, 150 g di castagne lesse, 1 cucchiaio di miele, 10 mandorle tostate, cioccolato fondente, cedro candito, vaniglia, cannella, zucchero a velo

Grado di difficoltà: facile

Si tratta di ravioli dolci che si preparano a Natale. Impastate 250 g di farina bianca da dolci con 2 tuorli d'uovo, vino, olio e acqua (in tutto 4 cucchiai). Spianatela e dividetela in dischetti di 5 o 6 cm di diametro. In una terrina amalgamate bene 150 g di castagne lesse con 1 cucchiaio di miele, una decina di mandorle tostate e tritate, cioccolato fondente, cedro candito, vaniglia e cannella. Con questo composto preparate i raviolini, che poi friggerete in olio bollente e spolverizzerete con zucchero a velo.

Il vino consigliato

MOLISE MOSCATO. Colore giallo paglierino a volte dorato; profumo tipico e armonico; sapore dolce, tipico, asciutto.

Sweet ravioli

These sweet "ravioli" are typical of Christmas time. Mix 250 g of white flour for sweets with 2 eggyolks, wine, oil and water (4 tablespoons on the whole). Roll it out and cut it into many disks of 5-6 cm in diameter. In a bowl blend 150 g of boiled chestnuts with 1 tablespoon of honey, about 10 toasted and chopped almonds, bitter chocolate, candied citron, vanilla and cinnamon. With this mixture fill the "ravioli", that you will fry in boiling oil and then sprinkle with icing-sugar.

Caucciune mulesane.

So' na specie e ravijuole roce, che ze pre-parene pe' Natale.
Ze 'mpastene 250 gramme re fiore che 2 rusce r' uove, vine, oglie e acqua ('ntutte a-ra esse 4 cucchiare).
Stennete la pasta e facete tante deschette re 5 o 6 centimetre re larghezza.
Rente a' na 'nzalaterella mischiate bbuo-ne: 150 gramme re polepa re castagne al-lesse, nu cucchiare re miele, na decina de mennule abbrustulite e tretate, ciuccula-ta amara e cedre candite a pezzettine, nu poche re vainiglia e cannella.
Preparate le caucciune, mettenne nu cucchia-rine de 'st' impaste, juste 'mmieze a lu deschette re pasta.
Chiuretele bbuone e frijete rente all'oglie ullente.
Mettetele rente a 'na sperlonca e spulverate-le re zucchere a vele.

A

ABBRETATE: avvolte
ABBRUSTULITE: tostate
ACCUNCIATE: aggiustate
ACCUSCÌ: così
AINIELLE: agnello
ALLINA: gallina
AMMANTATELA: copritela
AMMISTA: mista
ARA: deve
ARRAANATE: origanato
ARECHIJNE: ripieno
ASSUCÀ: asciugare
ATTURCENATE: avvolgete
AULIVA: oliva

B

BBUONE: bene
BRORE: brodo

C

CACCHE: qualche
CALLA: calda
CAPAME: scegliamo
CAUCIUNE: calzoni
CECURIELLA: cicoria
CHIANCHIERE: macellaio
CHIAPPARIELLE: capperi
CICULE: ciccioli
COCE: cuocere
CUCCHIARE: cucchiaio
CUPPUTA: fonda

D

DDU: due
DESUSSÀ: disossare
DOCE: dolce

F

FACETE: fate
FELLE: fette
FINE FINE: sottile
FIORE: farina
FRESSURELLA: tegamino
FRIJETE: friggete
FRONNA: rametto
FURNACELLA: fornello
FURNE: forno

L

LACCE: sedano
LAURO: alloro
LIENTE: basso piano

M

MACCARUNE: maccheroni
MAGNENE: mangiano
'MBUNNENELU: bagnandolo
'MBUTTETURA: ripieno
MENESTRA: verdura
MENATELE: versateli
MENNULE: mandorle
MICCULE: lenticchie
MIEZE: mezzo

MISCHIATE: mescolate
MISSE A MUOLLE: messo a bagno
'MMIEZE: a metà, in mezzo
'MPASTE: impasto
'MPEPATE: impepate

N

'NFURNATELA: infornatela
'NGOPPE: sopra
'NTANTE: intanto
'NTAULA: in tavola

O

OCCIA: goccia
OGLIE: olio
OGNE: ungere
ONTA: unta
OVE: uova

P

PASTENACHE: carota gialla
PATANE: patate
PEMMAROLE: pomodori
PEPARUOLE: peperoni
POLEPA: polpa
PULLASTRE: pollo
PUORCHE: maiale
PURDESINERE: prezzemolo
PURZIJUNE: porzioni

R

RAMERA: teglia da forno
RATTATA: grattugiata
RAÙ: ragù
RE: di
RECHENA: origano
RENTE: in, nel, dentro
RIAULILLE: peperoncino
RIJGNETE: riempite, imbottite
RUOTE: tornera

S

SAUCICCIA: salsiccia
SCAURATE: lessate
SCIGLIETE: sbucciate
SCIOTE: sciolta, diluita
SFRIJETE: soffriggete
SPECANARDA: rosmarino
SPERLONCA: piatto ovale
da portata
SPRISCIUTE: spremuto

T

TAULA: tavola
TIJANE: tegame basso e largo
TIJELLA: tegame di coccio alto
e largo
TONNE: tonde

U

ULLENTE: bollente
ULLÌ: bollire
UNTE: unto
UOSSE: osso

V

VASILECHE: basilico
VASSE: basso
VENTRAME: interiora
VENTRESCA: pancetta
VERGENE VERGENE: appena appena dorato
VOLLE: bollire
VRASCHE: brace
VRASCIOLE: braciole
VRUCCULARE: guanciale di maiale

Indice

Pesce

Dolci